Jana Chynoradska

Scelgo

perché è la mia vita

ScienciaScripts

This book is a translation from the original published under ISBN 978-3-330-08723-1.

Publisher:
Sciencia Scripts
is a trademark of
Dodo Books Indian Ocean Ltd. and OmniScriptum S.R.L publishing group

120 High Road, East Finchley, London, N2 9ED, United Kingdom
Str. Armeneasca 28/1, office 1, Chisinau MD-2012, Republic of Moldova, Europe

ISBN: 978-620-7-27390-4

Ai miei amati figli Betka e Kubko

Ringraziamenti

Vorrei ringraziare tutti i miei familiari, colleghi, formatori, insegnanti, consulenti e amici per il loro sostegno e la loro fiducia in me e nel mio modo di intendere il mondo esterno. Un ringraziamento particolare va a Gabriela Lojova, Jim Wright, Katarina Schwarzova, Klaudia Bednarova, Daniel Bacik, Paul Davis, Vicki Plant, Zuzana Silna, Doris Suchet e Mario Baranovic che hanno accettato il mio invito e hanno offerto al lettore il loro punto di vista e la loro spiegazione del concetto di "Learn&Lead".

Ci sono altre persone eccezionali che non solo hanno plasmato la mia vita, ma hanno portato contributi preziosi che oggi siamo in grado di offrire ai nostri clienti. Vorrei ringraziarle qui, sono: Eva Parsova, Andrea Rebrova, Andrea Kacova, Jozefina Sturdikova, Svetlana Polakova, Fero Rigo, Andrea Kutna, Lucia Lackovicova, Jana Lehotova, Monika Miklankova, Claire Vepy Page e una serie di grandi insegnanti, formatori, manager, consulenti e imprenditori che umanizzano l'insegnamento della lingua inglese in tutto il mondo.

Inoltre, un ringraziamento speciale va a Livia Madaraszova, le cui acute intuizioni e il profondo interesse per me come persona durante una fase critica dello sviluppo di Learn&Lead hanno arricchito la mia percezione della realtà e mi hanno incoraggiato a continuare ad avere fiducia nel processo che sto conducendo.

Infine, ma non per questo meno importante, i miei ringraziamenti vanno a Roman Hirner. È al mio fianco e sostiene la nostra scuola nel suo ulteriore sviluppo come mio nuovo partner commerciale.

Infine, vorrei ringraziare il mio amato marito per la sua infinita pazienza, l'amore incondizionato e l'enorme cura che ha dato a me e ai nostri figli nel corso degli anni e che continua a fare fedelmente.

Jana Chynoradska

INDICE DEI CONTENUTI

1. PREMESSA

I CHOOSE because It's My Life è una raccolta di dichiarazioni di persone che hanno fatto parte della mia vita familiare e lavorativa negli ultimi sette anni. In questo periodo ho affrontato un'infinità di ostacoli nella mia crescita personale e professionale, che oggi è strettamente legata allo sviluppo del marchio *Learn&Lead*. A volte mi sono trovato in un "inferno" che mi ha ricordato quali "errori" ho commesso nel mio passato. Ciò che ho trascurato, ciò che ho preferito ad altre cose, forse più importanti. Mi trovavo al bivio della mia vita e dovevo scegliere: o continuare il viaggio già iniziato, anche se estremamente faticoso e pieno di "mine" e ostacoli quasi insormontabili, con una vaga visione di vittoria, oppure mollare tutto e rinunciare a qualcosa che desideravo e per cui vivevo con tutto me stesso. Più cercavo di vivere responsabilmente, più gli avversari e le difficoltà sembravano attratti dalla mia vita. Ogni mattina mi alzavo con la convinzione che "oggi" le cose andranno meglio, il che mi dava sollievo e mi rendeva felice per il "lavoro ben fatto". Durante la giornata, ho cercato di affrontare pienamente le questioni che richiedevano la mia presenza come direttrice, madre, moglie, insegnante di lingue, figlia o amica. Ho imparato molto sulle motivazioni degli altri e sulla loro visione della vita. Ho cercato di comunicare il mio punto di vista nel modo più chiaro possibile a chiunque facesse parte della mia vita in quel momento. Tuttavia, i compiti si accumulavano, le persone aumentavano di numero e la mia capacità incontrava gradualmente i suoi limiti. Non avevo tempo per rispondere alle e-mail, ero troppo stanca per stare dietro a tutte le persone coinvolte e ai loro diversi orientamenti, non riuscivo a organizzare la mia vita come avevo immaginato. Riflettevo sempre più sull'essenza della vita e sul mio ruolo in essa. Ho trovato alcuni veri amici, sostenitori e compagni nelle mie vicinanze. Ho iniziato a comunicare all'esterno ciò che stava accadendo dentro di me e nella mia vita durante questo viaggio avventuroso. Ho iniziato a scrivere progetti che dovevano aiutarci a trovare la strada da seguire; ho accettato il telefono cellulare, i social network e il mondo virtuale di Internet come parte della mia vita e ho iniziato a comporre gradualmente un arazzo colorato di un dono prezioso: la mia stessa vita. Ho reso Harmony accessibile a chiunque volesse lavorarci e ho accettato le condizioni di collaborazione. Ho aperto la gestione della nostra scuola a leader e manager creativi e oggi sono sulla soglia di una nuova ondata di crescita. Credo che troverà proprio quei sostenitori per i quali ho affrontato questa difficile "prova" insieme al mio team. Siamo qui per aiutarci a vicenda nella nostra vita, per preoccuparci degli altri ed essere per loro fonte di ispirazione per fare grandi cose.

Ora so che nulla nella mia vita è stato un errore. Tutto ciò che ho fatto non è stato vano. Tutte le persone con cui ho avuto rapporti diretti o indiretti hanno portato nella mia vita esattamente ciò che avrebbero dovuto portare. Grazie a loro, ora sono più saggio, più perspicace, più prudente, più umile e più disciplinato. So chi sono, dove e perché sto andando. Oggi, a nome di Harmony, scelgo la strada *Learn&Lead* con piena serietà e responsabilità, per realizzare insieme la nostra missione *"guidare per imparare"*.

Jana Chynoradska, il 28 febbraio 2017

2. JANA CHYNORADSKA

Jana Chynoradskd è la fondatrice di HARMONY Academy, Principal Manager e formatrice. Lavora anche come presidente dell'Associazione slovacca delle scuole di lingue. Jana si è laureata all'Università Comenius, Facoltà di Scienze della Formazione. Ha conseguito un diploma in lingua e letteratura inglese e un dottorato in metodologia inglese. È caratterizzata da un'incessante sete di conoscenza e dalla convinzione che in ogni persona si celi il potenziale per realizzare grandi cose. Il suo percorso di apprendimento è lastricato di grandi sforzi, autodisciplina e duro lavoro quotidiano. Crede che la vera bellezza e la saggezza si possano ottenere non solo nella destinazione, ma anche durante questo viaggio avventuroso. Jana mette tutto il suo impegno in questa filosofia. Per questo motivo, è l'autorità naturale e la forza trainante di tutte le innovazioni Harmony. Di conseguenza, avvia progetti locali e internazionali volti a sviluppare reti interculturali e internazionali nell'ambito dell'ELT, dell'istruzione, della comunicazione e della leadership. Le piace leggere, viaggiare e conoscere nuove persone. Un tempo giocatrice di pallamano a livello agonistico, oggi, attraverso lo yoga, cerca una calma interiore, uno stile di vita equilibrato e armonioso.

Il cammino verso la libertà è difficile. È un percorso pieno di insidie e di rinunce che si apre in modo del tutto naturale in ogni anno della nostra maturazione. Più siamo grandi, più ci aspettiamo dalla vita e quindi attiriamo naturalmente le situazioni che ci mettono alla prova e la nostra disponibilità ad assumerci nuove responsabilità.

Tra il 2010 e il 2017, insieme ai nostri insegnanti e formatori, abbiamo compiuto un'avventurosa ricerca della conoscenza, durante la quale siamo riusciti a collegare l'inconciliabile e a creare l'impossibile. Durante questo viaggio, ho trascritto i momenti chiave nelle lettere o nei messaggi che trovate qui sotto, insieme alla mia breve prefazione. Lo faccio sperando che il loro contenuto possa essere utile a molte persone che devono affrontare sfide simili nella loro posizione lavorativa. Potrebbero trovare un incoraggiamento o una motivazione a cercare la strada con le persone e a comunicare all'esterno i loro "mondi interiori". Le loro convinzioni, atteggiamenti e opinioni che influenzano l'assetto dell'intera società.

6 agosto 2015, Quando è il momento giusto, fate un passo avanti.

Quando ho presentato il nostro primo progetto Learn & Lead nel febbraio 2010, non avevo idea di dove mi avrebbe portato questo viaggio. Ho solo seguito il mio cuore e il desiderio di aiutare i miei formatori a crescere. Proprio come nel 2000. All'epoca, si trattava del mio desiderio personale di auto-realizzazione. Oggi so che nel febbraio 2010 è iniziata la seconda fase del mio sviluppo, quella che è stata ed è tuttora conosciuta come Armonia. L'armonia è nata spontaneamente nel settembre 2000, dopo i primi due anni di difficoltà nel lavoro. Due anni di rinunce e di sforzi per risvegliare un servizio che all'epoca era senza tempo per Trnava. Ma oltre a questo impegno, sono stato naturalmente invitato da Martin a creare una scuola di lingue. La chiamai Harmony e nel giro di pochi mesi divenne una scuola rinomata e attirò numerosi studenti, aziende e organizzazioni di Trnava e dintorni. In classe, lavoravo sempre al massimo e condividevo con gli altri la mia storia imprenditoriale senza troppi complimenti. Spero di essere riuscito a risvegliare il desiderio di molte persone che hanno sentito una vocazione simile: andare per la propria strada e intraprendere un'attività imprenditoriale, sia nell'ambito dell'apprendimento delle lingue che in altri ambiti.

Oggi a Trnava (così come in altre città slovacche), ci sono molte scuole che hanno trovato i loro fan, quindi la torta della formazione linguistica privata è divisa tra molti di noi. Il nostro cliente - uno studente - ha il diritto di scegliere la scuola che più gli si addice, sia per quanto riguarda il luogo di residenza, la filosofia della scuola, il lavoro dei formatori o le strutture della scuola, sia per quanto riguarda l'atteggiamento del personale.

Oggi Harmony ha sede in Kapitulskd 26 a Trnava e offre la massima qualità nell'apprendimento delle lingue a bambini, ragazzi, adulti, comunità e aziende nei dintorni e nelle vicinanze. Allo stesso tempo, però, l'impatto di HARMONY si è esteso oltre i confini di Trnava, persino oltre quelli della Slovacchia. It supera i confini del nostro Paese e sta acquisendo gradualmente i suoi fan anche in Francia, Inghilterra o Repubblica Ceca, proprio grazie alle attività progettuali internazionali che dal 2010 permettono a insegnanti, formatori e dirigenti di scuole di lingua di svilupparsi e crescere sotto la bandiera di Learn & Lead. L'Associazione accademica slovacca per la cooperazione internazionale (SAA1C) è il principale patrocinatore di questo concetto di sviluppo; ci aiuta a finanziare i progetti di sviluppo per l'ulteriore crescita e lo sviluppo sostenibile dei nostri formatori, manager e dell'organizzazione stessa.

Quando nel 2010 fui invitato a partecipare alla riunione costitutiva dei membri che avevano dato vita all'Associazione delle Scuole di Lingue della Repubblica Slovacca (AJS SR), dovetti rifiutare l'invito a causa della situazione critica in cui versava Harmony in quel momento. In quel periodo abbiamo anche lanciato il progetto Learn & Lead, che mirava a creare un partenariato duraturo con le due scuole - Pilgrims dall'Inghilterra e GLS dalla Francia; il suo obiettivo principale era quello di creare tre centri di innovazione per l'ulteriore formazione e lo sviluppo di insegnanti, formatori e manager dell'apprendimento delle lingue. Due anni dopo, nel settembre 2012, abbiamo avuto il piacere di inaugurare il Learn & Lead Innovation Centre in occasione del 3° workshop centroeuropeo per insegnanti di inglese e di presentare l'offerta di programmi di formazione continua per insegnanti di inglese accreditati dal Ministero dell'Istruzione della Repubblica Slovacca.

Questo periodo è stato per noi il momento giusto per accettare l'invito che abbiamo ricevuto dai rappresentanti dell'AJS SR ad aderire per la seconda volta alla loro organizzazione. Abbiamo superato il processo di verifica e siamo stati solennemente adottati come nuovo membro nel dicembre 2012 insieme all'altra scuola con sede a Trnava - YOUR CHOICE, rappresentata da Silvia Holeczyovd che ha lavorato come formatrice per Harmony nel 2000. Una coincidenza o un'intenzione? Personalmente, mi piace questa partnership di vecchia e nuova formazione perché sottolinea l'essenza del nostro legame originario: offrire una formazione linguistica eccezionale e originale.

Fin dall'inizio, la nostra adesione all'AJS SR aveva un obiettivo chiaro: creare un ambiente per l'ulteriore formazione di insegnanti e formatori nell'apprendimento delle lingue. Partecipavo regolarmente alle riunioni dei rappresentanti di tutte le scuole di lingua, dove vivevo l'atmosfera, ascoltavo le argomentazioni, presentavo le mie opinioni e inoltre cercavo un ulteriore percorso di sviluppo sia per Harmony che per AJS SR.

Da quando siamo entrati a far parte dell'AJS SR fino ad oggi, Harmony ha "vissuto la sua vita" al massimo come qualsiasi altra scuola di lingue membro dell'AJS SR. Oltre alla gestione della scuola di lingue, siamo riusciti a ottenere una sovvenzione per continuare a implementare il concetto di sviluppo di Learn & Lead, in particolare due volte. Da agosto 2013 a luglio 2015, abbiamo sviluppato un programma internazionale innovativo per i genitori intitolato "Parent as a Leader" e attraverso il progetto "Be lifelong learning (BeLLL)", che è durato da luglio 2014 a giugno 2016, abbiamo finalizzato un percorso di carriera per lo sviluppo di un trainer Learn & Lead.

*Nel settembre 2014 ho deciso di fare un passo importante per Harmony, AJS SR e per me. Ho deciso di iniziare a riunire i professionisti per il nostro obiettivo comune: migliorare la qualità dell'apprendimento delle lingue e creare un sistema di crescita e sviluppo a lungo termine e sostenibile delle scuole di lingue. Ho proposto ai partner dell'AJS SR di creare un progetto per l'aggiornamento dei formatori e di altro personale nell'apprendimento delle lingue, al fine di **creare un sistema funzionale, sostenibile ed efficiente di aggiornamento degli insegnanti di lingue straniere**, in modo da aumentare la loro competitività e la qualità dell'apprendimento delle lingue in Slovacchia. Tutto questo in relazione alla mia esperienza personale, alle competenze e alle conoscenze acquisite principalmente grazie alle "lezioni apprese" nella mia vita personale e professionale. L'idea del progetto ha immediatamente attirato l'attenzione dei partner e così siamo riusciti a costruire un piccolo team, composto dai rappresentanti delle tre scuole di lingua associate all'AJS SR - Daniel Bacik di PLUS ACADEMIA, Silvia Holeczyovd di YOUR CHOICE e io, rappresentante di HARMONY ACADEMY. La nostra collaborazione si è accelerata tra gennaio e marzo 2015 e siamo riusciti ad avere cinque partner stranieri (Italia, Francia, Inghilterra, Lettonia, Malta) con i quali a fine marzo 2015 abbiamo presentato il nostro primo progetto internazionale a nome di AJS SR attraverso KA202 - Partenariati strategici per l'istruzione e la formazione professionale nell'ambito del programma UE ERASMUSplus e SAAIC.*

*Oggi posso dire con orgoglio che questo progetto è stato **pienamente supportato** dalla SAAIC, e che quindi per tutte le persone coinvolte è iniziato un nuovo tratto del loro/nostro viaggio. In questi giorni tutti noi di AJS SR ci stiamo godendo il successo del nostro primo progetto internazionale "Learning, Training and Working for Better Perspectives and Employability", che è la naturale continuazione delle innovazioni già avviate nell'apprendimento delle lingue, avviate e coordinate da HARMONY sotto la bandiera di Learn & Lead dal 2010; allo stesso tempo, si interconnette con altri progetti UE implementati nell'apprendimento delle lingue in Slovacchia e all'estero.*

Personalmente, sono felice di aver ottenuto la fiducia dei miei colleghi dell'AJS SR per l'avvio e lo sviluppo di questo progetto finalizzato alla creazione di programmi di formazione per formatori e discenti finali - dipendenti di due settori industriali, ovvero l'industria automobilistica e lo sviluppo del turismo - e alla creazione di un percorso di carriera per lo sviluppo di un formatore nell'apprendimento professionale delle lingue (PROLANT-CAP). Questo percorso è mirato a creare una strategia a lungo termine per lo sviluppo e la crescita sostenibile delle scuole di lingua associate all'AJS SR.

Quando è il momento giusto, si fa un passo avanti. Si inizia il proprio percorso di sviluppo e si compiono gradualmente i passi che inevitabilmente ci attendono in questo viaggio. Si incontrano persone, si comunica, si fanno affari, si affrontano le conseguenze della propria (non) responsabilità, si godono i risultati del proprio lavoro, si osservano le persone nell'ambiente circostante e si ascoltano le loro reazioni alle proprie decisioni, che non sempre sono favorevoli e soddisfacenti. Ma si sa che si sta percorrendo la propria strada. La strada che dà un senso alla vostra vita personale. Una sorta di guida interiore dentro di voi, quella voce interiore che spesso cerchiamo di mettere a tacere, vi informa su quale dovrebbe essere il prossimo passo del vostro cammino e con chi. Bisogna avere la volontà, il tempo e il coraggio di ascoltarla. Il coraggio di ascoltare la voce dentro di voi che vi rivela la natura della vostra stessa esistenza. Perché è nascosta in ognuno di noi e risiede nelle "profondità del nostro mondo interiore" che è bello, perfetto e prezioso. L'interconnessione tra questa voce interiore e la vostra ragione, che è logica, strutturata e razionale, vi rende irripetibilmente certi delle vostre decisioni.

A questo punto, vorrei ringraziare per tutti i dibattiti, le conversazioni, gli incontri, i workshop, i libri e i ritiri che ho dovuto affrontare per scoprire il mio mondo interiore e trovare il coraggio di condividerlo con gli altri. È un mondo di pace, comprensione, armonia e gioia per la semplicità della vita che deriva dal vivere ogni singolo giorno al massimo, con gratitudine, umiltà e coraggio di continuare a vivere la propria vita secondo i propri desideri. Ognuno di noi ha il diritto di essere originale, unico, quindi inevitabilmente diverso. Siamo nati come tali, quindi abbiamo la possibilità di esserlo.

E qual è il mio messaggio a tutti coloro che hanno deciso in questo momento di promuovere questa idea nelle loro aziende, scuole o altre organizzazioni? Buttatevi in questa impresa proprio oggi, ne vale la pena!

14 febbraio 2016, Insegnanti, È possibile! La gioia è il mio/nostro obiettivo.

Un messaggio pubblico a tutti gli insegnanti e formatori, che ho scritto nella notte tra il 13 e il 14 febbraio 2016. Nel momento in cui la realtà con cui ci siamo confrontati in Armonia era sempre più difficile, pesante, a volte persino scettica per molti formatori "senior", ho scritto un appello aperto che ha acquisito importanza un anno dopo e ha ancora un significativo valore informativo. L'ho fatto grazie alla mia forte volontà e alla mia libera decisione di trovare nella realtà tutte quelle cose buone e utili. Probabilmente è naturale che alla nascita di una nuova vita, l'"organismo" in cui questa nuova vita sta nascendo si difenda. Ogni cellula dell'organismo svolge il suo compito con le migliori intenzioni. Proprio in quel momento mi è venuto in mente e ho iniziato a parlare del modello funzionale Learn & Lead di gestione di una scuola di lingue. In effetti, questo nome descrive al meglio il significato di Learn & Lead oggi.

Credo che nessuno di noi dubiti che oggi siamo alla nascita di un nuovo sistema educativo. Da ogni parte, siamo quotidianamente messi di fronte a ciò che è accaduto e dove, a ciò che è stato fatto e da chi, a ciò che ci riguarderà, ecc. Riceviamo molte opinioni, manifestazioni di potere, intimidazioni o inviti a costruire collaborazioni di qualsiasi tipo. Siamo noi ad agire e a influenzare con i nostri atteggiamenti e le nostre scelte l'aspetto della nostra vita nei prossimi giorni, settimane o anni. Ognuno di noi, consciamente o inconsciamente, sceglie il modo di pensare, di guardare il mondo che ci circonda; vedendo le cose dalla nostra prospettiva accettiamo i segnali del mondo esterno che costituiscono la base per le nostre azioni successive. O passività?

Partecipiamo alla rara nascita di un nuovo modello di educazione, e quindi possiamo scegliere tra le due strade possibili. Possiamo essere "vittime/mere marionette nelle mani di qualcun altro", qualcuno che prende decisioni su di noi nonostante la nostra età adulta, o viceversa, possiamo diventare i creatori della nostra vita e percorrere le nostre strade.

Abbiamo tutto il diritto di esprimere le nostre idee sul mondo e su come dovrebbero essere i compiti e i riconoscimenti professionali di un insegnante nel XXI secolo. Abbiamo il diritto di decidere dove, quando e con chi questa idea inizia a trasformarsi nel presente.

Abbiamo anche l'obbligo di imparare e di educare alle esigenze di un'efficace introduzione di nuove politiche, procedure e possibilità nella realtà della vita scolastica, al fine di convertire l'ambiente scolastico in una forma conforme alle nostre idee. Siamo obbligati a continuare la nostra ricerca e a perseverare proprio quando sembra che ogni sforzo sia stato una mera illusione e che prima o poi cada nell'oblio. Dobbiamo accettare la conoscenza e la guida di persone che comprendono "il mondo dei numeri" e che senza dubbio ci appartengono. Le scuole del XXI secolo hanno bisogno di insegnanti ed economisti. Le scuole devono mantenere un sufficiente grado di libertà per il loro lavoro originale e hanno bisogno di una sufficiente disponibilità di denaro per provvedere al loro funzionamento e al loro ulteriore sviluppo. Le scuole hanno bisogno di una gestione in cui insegnanti ed economisti si comprendano a vicenda e trovino insieme soluzioni per l'adempimento delle loro missioni.

Se i loro punti di vista si incontrano, ci sono buone possibilità di successo. Se i loro punti di vista si incontrano e le responsabilità e i poteri dei singoli posti di lavoro sono chiaramente definiti e collegati a prestazioni misurabili della scuola, ci sono ottime possibilità di successo.

Tuttavia, quando non solo i loro punti di vista si incontrano e le responsabilità e i poteri dei singoli posti di lavoro sono chiaramente definiti e collegati a prestazioni misurabili della scuola, ma anche un clima di fiducia, un senso di appartenenza e un desiderio di creare a favore di un obiettivo comune iniziano a prevalere, c'è una possibilità garantita di successo.

La nostra fede e la nostra convinzione della necessità di questa nascita sono qualcosa che ci ha tenuto e ci terrà sempre a galla, cari insegnanti. Dobbiamo mantenere questa fede, questa luce dentro di noi in ogni momento. È essenziale per il successo del nuovo modello di educazione di cui il mondo di oggi ha un disperato bisogno.

Dal 19931 mi occupo di apprendimento delle lingue in Slovacchia e nel 20101 ho presentato le mie conoscenze a livello europeo. Dalla mia prima lezione di inglese, che ho tenuto alla scuola elementare Spartakovskd di Trnava come insegnante di inglese non qualificato, attraverso un'innumerevole quantità di discussioni, piani di progetto e interviste, dolci vittorie e dolorose cadute fino ai negoziati chiave con i partner strategici di questo nuovo modello educativo, ho imparato che

1. ***trovare gli alunni/studenti che cercano opportunità di auto-realizzazione è facile,*** *sia che si tratti di bambini, adolescenti, adulti o anziani. Ognuno di loro desidera essere ascoltato e trovare un ambiente in cui la sua opinione conti. Il desiderio di autorealizzazione delle persone è forte come la sete di acqua. L'autorealizzazione è la nostra parte e più parliamo delle possibilità di applicazione, più le persone vorranno collegarsi interiormente ad essa. Più le persone avranno la possibilità di credere in se stesse e di essere sostenute nello sviluppo dei propri talenti per garantire una vita dignitosa, più le persone diventeranno co-creatori del mondo portato da questo nuovo modello di educazione. Più alunni/studenti avranno la possibilità di frequentare scuole che sostengono questo modello educativo, più gioia proveranno e più speranza avremo che il mondo sia composto da persone più libere, pronte a creare e a trarre piacere dallo svolgimento del proprio lavoro.*

2. ***trovare persone disposte ad assumersi i rischi connessi alla creazione di un nuovo modello educativo è difficile, ma possibile.*** *Gli insegnanti stessi sono le persone chiave che rappresentano questo modello e devono essere i primi a sperimentare la nascita di questo nuovo modello attraverso se stessi.*

Attraverso la loro esperienza e l'auto-realizzazione consentita, acquisiranno le qualifiche necessarie per svolgere il loro lavoro per le esigenze delle persone e del mondo nel XXI secolo. Un viaggio avventuroso pieno di insidie, segreti e sfide attende oggi gli insegnanti. Un viaggio in cui dovranno rivalutare i loro punti di vista, atteggiamenti o interpretazioni degli eventi che li circondano. Stanno affrontando il futuro che loro stessi stanno co-creando. Nel mondo Learn & Lead, hanno la possibilità di diventare quelli che hanno sempre voluto essere.

3. ***trovare persone disposte a rafforzare i propri poteri e a "varare" norme per l'applicazione del nuovo modello è difficile, ma possibile.*** *Mi riferisco a un gruppo di proprietari/principianti e dirigenti di scuole. Ho avuto la fortuna di trovare dei partner per la promozione di questo modello educativo tra i rappresentanti delle scuole di lingua che sono membri dell'Associazione delle scuole di lingua della Repubblica Slovacca e per conto dei quali in questi giorni stiamo realizzando il nostro primo progetto internazionale per promuovere l'applicazione di questo modello educativo oltre i confini del nostro Paese; grazie al loro sostegno, nel luglio di quest'anno verranno lanciati i primi programmi Learn & Lead per insegnanti, formatori e manager dell'apprendimento delle lingue.*

4. ***trovare persone disposte a investire denaro nella nascita di un nuovo modello educativo è difficile, ma possibile.*** *Ci sono persone che conoscono il valore del denaro e sono consapevoli che ogni cosa promettente va sostenuta. Sono grato a tutti coloro che hanno lasciato parlare il loro cuore e si sono uniti a noi.*

Insegnanti, potete seguire la voce del vostro cuore e creare per trarre piacere dal lavoro. Potete andare oltre le barriere immaginarie ed entrare nel mondo del possibile. Potete decidere di rimanere in questo mondo e creare. Potete vivere e sopravvivere in questo mondo. Potete vivere in questo mondo e testimoniare i limiti del possibile insieme agli altri. Basta decidere, perseverare e imparare. Imparare per tutta la vita e spingere i limiti del possibile.

In questo ho trovato il senso della mia vita e sono pronto a diffondere ulteriormente questo messaggio a beneficio di un'educazione più dignitosa e di maggior valore in Slovacchia e all'estero. Non vedo l'ora di vivere il futuro, perché so che il mio obiettivo è la gioia. La gioia pura, bella e unica di trovare il senso della mia vita!

7 gennaio 2016, Discorso tenuto ai Formatori in Armonia

All'inizio di un nuovo anno, pensiamo sempre a ciò che questo nuovo anno ci porterà, a ciò che possiamo aspettarci e attendere con ansia. A gennaio 2016 sapevo che stavamo affrontando l'ultimo periodo cruciale che avrebbe deciso il destino della nostra azienda e della nostra famiglia, direttamente o indirettamente esposte a grandi rinunce durante la ricerca di un nuovo percorso per Harmony. Con la forza della mia volontà mi sono concentrata su ogni singolo giorno e ho continuato a trovare intenzionalmente gli elementi di una nuova vita nascente. Così, sono riuscito a scrivere una lettera per i miei formatori e a inviarla loro come parte del mio discorso di Capodanno.

Cari amici,

permettetemi di iniziare augurandoci buona salute, felicità, gioia, soddisfazione, coesione e amore per il nuovo anno 2016.

Stiamo affrontando l'ultimo tratto del nostro viaggio alla scoperta di Learn & Lead, che ci fornirà l'ancora per gli anni successivi.

Come la natura continua a manifestare i segni di pace e di "ozio esteriore", tipici di questa stagione invernale, così possiamo percepire le cose che accadono nella nostra azienda. Dietro il "sipario", stiamo lavorando attivamente per portare a termine la nostra missione di sei anni nota come Learn & Lead. Tutti i passi necessari per approdare con successo sulla nostra tanto desiderata isola si stanno interconnettendo in questi giorni, formando così l'energia tanto necessaria per il nostro ulteriore pellegrinaggio comune. Con l'arrivo della primavera, possiamo aspettarci un graduale risveglio, e con i nostri occhi vedremo la "terra" che rappresenta una futura casa per tutti noi che aderiamo ai valori fondamentali dell'Armonia.

Come non dubitiamo che all'inverno segua la primavera, che ci porta nuove vite e i semi di nuovi frutti, così non dubitate di queste parole. Al contrario, percepite il loro messaggio in una meditazione silenziosa e lasciate che maturino in voi stessi. In questo modo, contribuirete ad accelerare la transizione verso il punto di rottura che tutti noi desideriamo tanto. Come insegnanti e formatori di lingue straniere, siamo i portatori del significato di una parola e del suo potere nel mondo di oggi. L'apprendimento delle lingue, come qualsiasi altro settore, attraversa un'evoluzione che è presente in noi stessi. Siamo esseri che pensano, sentono, creano. Associare le parole ai pensieri e ai sentimenti che ne derivano ha un potere indiscutibile. È il primo passo per realizzare questo pensiero, questa idea che poi, al momento giusto, si traduce nel mondo materiale in cui viviamo.

La primavera ci porterà anche una nuova vita e la speranza di un mondo migliore sulla nostra isola - l'isola che oggi attira l'attenzione di molte persone nei nostri dintorni. L'isola la cui scoperta permette di iniziare un nuovo percorso di sviluppo di una personalità - un insegnante di lingue straniere che contribuisce a costruire un nuovo e più valido apprendimento delle lingue straniere con la sua originalità e unicità.

In conclusione, vorrei augurare a tutti noi molta comprensione reciproca, deliberazione e coraggio nei prossimi giorni e settimane. Che l'amore per la vita e per l'uomo come essere umano unico ci aiuti a trovare la gioia in ogni singolo passo del nostro cammino comune verso il raggiungimento dell'armonia in Harmony©.

Sinceramente vostra, Jana

3. JIM WRIGHT

Oggi Jim Wright è il direttore della prestigiosa scuola PILGRIMS, situata nella splendida città di Canterbury, nel sud-est dell'Inghilterra. Ha dedicato tutta la sua vita allo sviluppo delle relazioni interpersonali nel campo dell'apprendimento delle lingue. Grazie al suo instancabile entusiasmo, ci sono insegnanti che lavorano in tutto il mondo e umanizzano l'insegnamento delle lingue straniere partecipando ai programmi metodologici, linguistici e di sviluppo organizzati da questa scuola.

Quando l'ho incontrato nel giugno 2007, non sapevo che il nostro incontro sarebbe stato per me uno di quelli "fatali". Oggi so che Jim Wright era destinato a me.

Per me Jim è una fonte inesauribile di ispirazione, sostegno, coraggio e perseveranza. Quando l'ho invitato a contribuire al mio secondo libro, ne è stato onorato e ha accettato volentieri di parteciparvi. Inoltre, ha fatto qualcosa di più. Mi ha offerto la sua opinione sul titolo originariamente proposto per il libro "Devo perché è la mia vita". Riporto integralmente le sue parole a questo proposito: *"Ho un'idea per te, però, ed è una questione di linguaggio e di significato. I CAN - va bene, perché in inglese significa che la scelta è tua, che sei tu il responsabile della tua vita. I MUST - in inglese ha il significato di "sto facendo qualcosa per conformarmi all'idea o alle regole di qualcosa o di qualcun altro", cioè qualcosa o qualcun altro è responsabile della tua vita se dici I MUST - non sono sicuro che questo sia il messaggio che vuoi dare. Vale la pena di riflettere...! Potreste prendere in considerazione l'idea di dire: "Scelgo perché è la mia vita", che suggerisce che siete voi ad avere il controllo e non qualcun altro, e che state scegliendo cosa fare nella vostra vita - un messaggio più forte, credo. Ad ogni modo, fatemi sapere cosa e come volete che contribuisca, ne sarei felice".*

Mi ha offerto la sua visione del viaggio nella vita di un adulto e mi ha lasciato scegliere. Quando ho pensato a ciò che mi aveva offerto attraverso la sua prospettiva, non ho avuto bisogno di esitare a lungo e ho accettato la sua guida. Ho sentito un cambiamento dentro di me, nella mia percezione; nonostante il fatto che DEVO, perché è la mia vita, in ogni situazione ho il diritto di decidere se e come fare ciò che ritengo necessario in quel momento. Sono felice che Jim Wright sia mio amico e sono orgoglioso della nostra straordinaria amicizia che dura da 10 anni e che è alla base della nostra partnership commerciale di successo. 10 anni fa ho accettato la sua offerta di collaborazione e oggi so che abbiamo ancora una lunga strada da percorrere.

Qual è il suo rapporto con Jana Chynoradska e con l'Accademia Harmony? Come lo descriverebbe?

Senza dubbio, è uno dei rapporti più speciali e preziosi della mia vita, sia a livello professionale che personale. Credo che il modo più semplice per descriverlo consista nelle parole "amore e rispetto". Amo Jana e Harmony come si ama una sorella. Mi sento molto protettiva nei confronti di Jana e Harmony. È stato un grande piacere per me vedere Jana e Harmony crescere e farne parte. Nutro anche un profondo rispetto per Jaro e tutto il suo fedele staff per il sostegno che le danno. Nel mio cuore siamo una famiglia, sia Jim che Jana, i Pilgrims e l'Accademia Harmony.

Questo libro si intitola "Scelgo perché è la mia vita". Quale scelta è stata finora la più difficile nella sua vita? Perché?

Posso dire onestamente di non aver mai dovuto fare scelte difficili. Vedete, quando scegliete, allora sapete quale strada volete percorrere perché state seguendo il vostro cuore. Le scelte difficili arrivano solo quando ci si dimentica che si può scegliere!

Il libro è il seguito di "I CAN because it's My Life", che si rivolgeva a insegnanti e formatori, concentrandosi sulla libertà che hanno nelle classi. Come ha risuonato questo messaggio nella sua vita professionale?

Sono sempre stata una persona positiva e non ho mai smesso di stupirmi di quanto le persone attive nell'istruzione e negli affari si concentrino sui motivi per cui non possono fare le cose. Il mio mantra nella vita e a Pilgrims è sempre stato "Tutto è possibile" e tutto è possibile quando si sceglie di dire IO POSSO! Gli insegnanti e i capi tendono a concentrarsi su ciò che non va e che deve essere risolto; credo che sia più efficace guardare a ciò che non funziona e a come farlo funzionare, che si abbia ragione o meno. Gli insegnanti e i capi devono liberarsi dall'impulso di avere sempre ragione! Questo è il motivo per cui scegliere I CAN risuona con me!

"I CHOOSE because It's My Life" (Scelgo perché è la mia vita) dà un chiaro segnale a tutti che è lui/lei a decidere della propria vita. Incoraggia una persona a rendersi conto del proprio potere e la invita a prendere una decisione per una

vita migliore e di maggior valore. Quale messaggio invierebbe ai lettori in questo contesto?

È molto semplice. Tutti noi abbiamo la capacità e il diritto di scegliere come sentirci! Spesso lo dimentichiamo e pensiamo che le cose che ci accadono non siano una nostra scelta, quindi perdiamo il controllo. Ma possiamo SCEGLIERE il modo in cui ci sentiamo. Ecco un esempio: quando mi è stata diagnosticata una malattia ai reni, ovviamente non avrei scelto che ciò accadesse, quindi è facile dire che non ho scelta e non ho controllo; tuttavia, posso scegliere di sentirmi bene e di andare avanti con la mia vita nonostante ciò che sta accadendo fisicamente. Sono io a scegliere come sentirmi, non la mia malattia! Pertanto, ho il pieno controllo di come mi sento nella mia vita; dico sempre che se non SCEGLI come vuoi vivere, allora sarà qualcosa di meno gentile a scegliere te!

Nella sua versione semplificata, *Learn&Lead* potrebbe essere definito come apprendimento e sviluppo permanente. Che ruolo ha l'apprendimento permanente nella vostra vita?

Apprendimento permanente - per me, il giorno in cui smetterò di imparare o inizierò a pensare di non aver più bisogno di imparare, sarà il giorno in cui smetterò di vivere. La vita è apprendimento e l'apprendimento è la chiave per una vita lunga - apprendimento continuo!

Cosa avete dovuto subire prima di capire che la vostra vita è nelle vostre mani? Quali sono stati i fallimenti o le vittorie più decisivi nella vostra vita?

Il 6 gennaio 2013, quando sono stata ricoverata in ospedale, i medici mi hanno dato poche possibilità di sopravvivenza e mi hanno detto che avrei avuto difficoltà a camminare di nuovo correttamente o a vivere una vita normale. Ogni notte, quando tutti gli altri dormivano, mi costringevo a fare solo qualche passo doloroso. Ogni notte, un passo in più; promisi a me stessa che avrei camminato fino alla porta dell'ospedale in 3 settimane (erano solo 10 metri). Ce l'ho fatta; poi, qualche settimana dopo, sono riuscita a salire le scale, per ringraziare l'infermiere che aveva rinunciato al suo fine settimana per salvarmi la vita. Ho capito che l'unica persona che mi avrebbe fatto vivere e camminare di nuovo ero io. I medici mi chiamano "l'uomo dei miracoli", ma io so che l'unica risposta era scegliere di "non arrendersi"! Solo voi potete scegliere come sentirvi, nessuno o niente ve lo può togliere. Una volta che ve ne rendete conto, siete liberi di vivere la vita straordinaria che vi meritate! Ora non ho paura della morte, della malattia o di qualsiasi altra cosa nella vita, perché è quello che ho scelto!

Chi è al vostro fianco quando dovete fare una scelta? Perché questa persona è importante nella vostra vita?

Tante persone; Lizzie, mia moglie, è una fonte costante di sostegno, mi aiuta a sentirmi sicuro e protetto nelle mie decisioni; è la mia fonte di forza e il motivo per cui sento di poter dare tanto amore agli altri - perché lei mi fa sentire così amato! In Pilgrims Kevin Batchelor è una persona con cui posso creare e discutere di idee ogni giorno; ha un atteggiamento incredibile "tutto è possibile" che ci aiuta a mantenere Pilgrims fresco e stimolante. I miei buoni amici Richard Wilkins e Liz Ivory - il loro corso sulla Coscienza a Banda Larga mi ha aiutato a capire quanto sia facile ed essenziale scegliere come voglio sentirmi e non ascoltare quella voce negativa nella mia testa, perché è solo un'opinione su di me - non su chi sono. Uso ciò che mi hanno insegnato ogni singolo giorno. Mio padre, con cui parlo ogni giorno, anche se non è più in vita, è ancora il mio supereroe e la mia ispirazione di vita. Mi ritengo un uomo fortunato, circondato da persone che mi ispirano ogni minuto di ogni giorno. Non sono solo persone, sono i miei eroi!

Avete un rituale, un segno/indicazione o altri aiutanti che vi guidano nel processo di scelta?

È facile. Per ogni singola decisione nella mia vita o nel mio lavoro mi chiedo semplicemente "Come voglio sentirmi?".

Lei è stato invitato a questo libro come una delle persone chiave che hanno contribuito a costruire il nuovo concetto di formazione per adulti *Learn&Lead*. Come descriverebbe il percorso di apprendimento che ha dovuto affrontare durante lo sviluppo di questo concetto?

Imparare ad ascoltare di più: nessuno ha mai imparato qualcosa parlando!

Che cosa significa oggi per lei Learn&Lead?

Opportunità, possibilità, cambiamento, crescita, aiutare le persone a sentirsi bene con se stesse, speranza.

Cosa augura a Learn&Lead per il futuro?

Continuare a guidare per imparare e non smettere mai di imparare a guidare.

4. GABRIELA LOJOVA

Dott. Gabriela Lojova, PhD, lavora presso la Facoltà di Scienze della Formazione dell'Università Comenius di Bratislava, Dipartimento di Lingua e Letteratura Inglese; è stata inoltre consulente speciale per lo sviluppo metodologico degli insegnanti e dei formatori di lingua inglese presso la HARMONY ACADEMY fin dalla sua fondazione nel 2000. Nella sua attività didattica, scientifica e di ricerca, si dedica alla psicologia dell'apprendimento e dell'insegnamento delle lingue straniere e alla psicolinguistica applicata. Ha una vasta esperienza nella formazione universitaria e permanente degli insegnanti di lingua inglese. Grazie alla borsa di studio Fulbright, ha lavorato presso la Montclair State University nel New Jersey, dove ha tenuto il corso di didattica dell'inglese. Le monografie più significative sono le seguenti: *Insegnamento della grammatica in lingua straniera: teoria e pratica, Differenze individuali nell'apprendimento delle lingue straniere I, Stili e strategie di apprendimento nell'insegnamento delle lingue straniere* (Lojova, Vlckova) e *Fondamenti teorici dell'insegnamento dell'inglese nella scuola primaria* (Lojova, Strakova).

La sua immensa esperienza, le opere pubblicate, la paternità di innovazioni stimolanti nell'insegnamento della lingua inglese, la partecipazione a molte conferenze internazionali, nonché il rispetto e il riconoscimento che si è guadagnata nei circoli professionali in Slovacchia e in Europa dimostrano la grandezza del suo spirito. L'onestà e la costante disponibilità ad aiutare riflettono la sua umanità e il suo amore per la vita. Inoltre, il suo coraggio è una prova del suo spirito combattivo, con il quale è in grado di lottare per la cosa giusta, indipendentemente dalle conseguenze che ne derivano.

Gabi è stata la mia preziosa consigliera, ispirazione e ancora da quando ho fondato la mia prima scuola nel 2000. Sa cosa e *perché* fa nella formazione degli insegnanti e dei formatori di lingue straniere, e io continuo a imparare da lei come approfondire le mie conoscenze strettamente legate agli insegnanti, ai formatori e alla scuola in quanto tale. Nel 2000 abbiamo lanciato insieme l'*onda* dell'Armonia; oggi stiamo lanciando insieme la sua continuazione, l'onda Learn&Lead.

Qual è il suo rapporto con Jana Chynoradska e con l'Accademia Harmony? Come lo descriverebbe?

Vedo Janka come la mia "bambina pedagogica" che è cresciuta e, come ogni bambino ben guidato, mi ha superato in molti aspetti. È stata mia studentessa universitaria alla Facoltà di Scienze della Formazione e, a quanto pare, sono riuscita a "contagiarla" con le idee in cui credo profondamente e che cerco di diffondere al massimo. Lei ha raccolto il testimone e non solo diffonde le idee e ne approfondisce i significati, ma cerca continuamente altre opportunità per aiutare gli insegnanti a crescere personalmente e professionalmente. Vedo Harmony Academy come la nostra "scuola sperimentale" dove verificare, realizzare pienamente e approfondire ulteriormente i principi di questo approccio rivolto agli studenti. Il lavoro pedagogico svolto qui conferma costantemente che siamo sulla strada giusta.

Questo libro si intitola "Scelgo perché è la mia vita". Quale scelta è stata finora la più difficile nella sua vita? Perché?

Finora ho avuto molta fortuna nella mia vita e non ho affrontato scelte difficili che avrebbero influenzato in modo significativo la mia vita. Le tappe più importanti della mia vita sono avvenute in modo più o meno naturale e le decisioni prese sono emerse con relativa facilità dalle circostanze. Dal punto di vista professionale, però, poco dopo la Rivoluzione di Velluto mi sono trovata di fronte a una scelta importante: rimanere nel mondo della pedagogia, che mi è molto vicino, o usare il mio inglese in un altro modo e lavorare in un mondo finanziariamente più attraente come quello della traduzione/interpretariato, che mi avrebbe offerto molte opportunità illimitate. Non ho mai rimpianto la mia decisione.

Il libro è il seguito di "I CAN because it's My Life", che si rivolgeva a insegnanti e formatori, concentrandosi sulla libertà che hanno nelle classi. Come ha risuonato questo messaggio nella sua vita professionale?

Ho interiorizzato questi pensieri per molto tempo; cerco di diffonderli il più possibile tra gli insegnanti e i futuri insegnanti con cui lavoro. Posso descrivere brevemente le mie convinzioni come segue:

- puntate su ciò in cui credete pienamente - solo così potrete persuadere ("contagiare") gli altri;

- indipendentemente dalle condizioni, i nostri studenti sono importanti e vale la pena superare anche le situazioni più difficili. Gli studenti ti ricaricano le batterie e ti danno la forza di seguire il tuo percorso, quando vedi in che posizione li hai guidati, come sono progrediti... I loro interessi, i loro volti splendenti, la passione con cui lavorano, la loro crescente fiducia e sicurezza in se stessi, questi fattori continuano a spingere l'insegnante in avanti;

- A prescindere dalle norme e dalle condizioni, quando ci si chiude la porta alle spalle in un'aula, ci si comporta come si ritiene opportuno, in base alle proprie convinzioni e a ciò in cui si crede. Ecco perché è importante influenzare le convinzioni degli insegnanti, il loro modo di pensare, le loro opinioni e i loro atteggiamenti.

- Tutto ciò che otteniamo durante le lezioni, alla fine dipende dalla psiche dello studente. Pertanto, il compito principale dell'insegnante è quello di conoscere la psiche dei suoi studenti, individuare i loro punti di forza e costruire su di essi.

"I CHOOSE because It's My Life" (Scelgo perché è la mia vita) dà un chiaro segnale a tutti che è lui/lei a decidere della propria vita. Incoraggia una persona a rendersi conto del proprio potere e la invita a prendere una decisione per una vita migliore e di maggior valore. Quale messaggio invierebbe ai lettori in questo contesto?

"Sii te stesso!" "Vivi e lascia vivere!"

Solo così potrete condurre una vita piena ed essere felici. Cercate di conoscere voi stessi il più possibile e di accettarvi con i vostri punti di forza e le vostre debolezze. Solo così potrete rispettare e tollerare pienamente tutti gli altri intorno a voi. Ognuno di noi è un essere unico e perfetto con un potenziale straordinario; dobbiamo solo scoprirlo, svilupparlo e realizzarlo. E successivamente scoprirlo negli altri.

Nella sua versione semplificata, _Learn&Lead_ potrebbe essere definito come apprendimento e sviluppo permanente. Che ruolo ha l'apprendimento permanente nella vostra vita?

Come la maggior parte di noi, non i più giovani, ho dovuto liberarmi del fardello posto dal sistema educativo tradizionale nelle nostre scuole. Per molti anni siamo stati costretti solo ad ascoltare passivamente e a obbedire. Ci è stato presentato l'unico modo giusto, un'unica verità, opinioni e atteggiamenti unitari, e siamo stati costretti a reprimere noi stessi, le nostre capacità, la nostra unicità. Mi ci è voluto molto tempo per capire che non ho bisogno di "seguire la corrente" e che posso essere me stesso, anche se spesso non è facile. Qualunque cosa tu faccia, ci sarà sempre qualcuno a cui non piacerà quello che stai facendo. Non si può accontentare tutti o, in altre parole, "non si può piacere a tutti". La vita mi ha insegnato che non posso cambiare il mondo intero. Posso cambiare solo le cose nella mia "sabbiera". È importante valutare le dimensioni del proprio "recinto di sabbia" e sapere che ciò che si sta facendo cade su un terreno fertile e multiplo, in modo da non sprecare le proprie forze ed energie. In questo contesto, per me è stata la vittoria più grande quando ho capito la profonda verità nascosta nella preghiera di San Francesco d'Assisi (presumibilmente): *"Dio, dammi la grazia di accettare con serenità le cose che non si possono cambiare, il Coraggio di cambiare le cose che si devono cambiare e la Saggezza di distinguere le une dalle altre".* "

Cosa avete dovuto subire prima di capire che la vostra vita è nelle vostre mani? Quali sono stati i fallimenti o le vittorie più decisivi nella vostra vita?

Ho dovuto affrontare problemi colossali. Non c'era altra scelta per me come professore universitario e ricercatore; risolvere i problemi è un prerequisito per lavorare con successo. Un uomo deve osservare continuamente ciò che accade a casa e nel mondo che ci circonda e tenere traccia delle pubblicazioni specializzate. Ma l'essenza sta in una semplice verità che una persona impara per tutta la vita. Mi piacciono i momenti in cui riesco a vedere la verità di queste parole apparentemente banali. Anche se sono un educatore a vita, gli studenti mi sorprendono ogni giorno con qualcosa di nuovo; non mi permettono di diventare soffocante o di ristagnare. Mi costringono ad "aggiornarmi", mi permettono di conoscere e capire il loro mondo e mi tengono al corrente dei cambiamenti che la vita di oggi porta con sé anche al di là dei miei orizzonti. Senza questo apprendimento e questa formazione consapevole e inconsapevole, non è possibile lavorare con le persone in modo efficace.

Chi è al vostro fianco quando dovete fare una scelta? Perché questa persona è importante nella vostra vita?

Sicuramente mio marito. Discuto con lui tutte le mie decisioni e, qualunque sia il risultato, lui è sempre al mio fianco e mi sostiene. Anche le mie figlie grandi mi incoraggiano. Portano nelle nostre discussioni altri aspetti che potrebbero essere distanti da me. Sono consapevole che in qualsiasi momento del mio processo decisionale, le loro opinioni sono sempre più importanti per me. Per molti aspetti, mi hanno già superato.

Avete un rituale, un segno/indicazione o altri aiutanti che vi guidano nel processo di scelta?

No. Non ho rituali o segnali. Cerco di evitare le decisioni impulsive ed emotive; cerco di riflettere, discutere e poi decidere. Tuttavia, quando si prendono decisioni ragionevoli e logiche, anche l'intuito fa la sua parte.

Lei è stato invitato a questo libro come una delle persone chiave che hanno contribuito a costruire il nuovo concetto di formazione per adulti *Learn&Lead*. Come descriverebbe il percorso di apprendimento che ha dovuto affrontare durante lo sviluppo di questo concetto?

Nel mio percorso di acquisizione di conoscenze, è difficile separare il lavoro sul progetto Learn&Lead dagli altri compiti. Alcuni risultati del mio sviluppo possono essere riassunti come segue:

- cambiare il modo di pensare delle persone è difficile e a lungo termine;
- cambiare le tradizioni e le abitudini aziendali è difficile;
- motivare gli adulti e portarli a riflettere su se stessi, a migliorare la conoscenza di sé e le proprie ambizioni è difficile se non sono abituati a farlo;
- ogni persona è diversa, è necessario ascoltare con più attenzione le persone;
- lavorare con insegnanti esperti è bello, stimolante, arricchente, ma è necessario ascoltarli di più ed essere aperti ai cambiamenti e ai loro suggerimenti;
- indipendentemente dalla misura in cui credete che la vostra strada sia quella giusta, dovete ascoltare gli altri e mantenere il vostro pensiero flessibile. Rendetevi conto che anche gli altri sono convinti della giustezza della loro strada, proprio come voi;
- Tutti commettiamo degli errori, è naturale; ammettiamoli e impariamo da essi: solo così possiamo progredire efficacemente.

Che cosa significa oggi per lei Learn&Lead?

- Una nuova sfida: finora non ho lavorato con insegnanti del settore privato;
- nuove opportunità di crescita professionale e personale;
- nuova esperienza di conoscenza e collaborazione con nuove persone.

Cosa augura a Learn&Lead per il futuro?

Il maggior numero possibile di persone e di insegnanti che possano comprendere il pensiero su cui questo progetto si basa e che cerca di diffondere. Che possano essere "contagiati" dall'idea dell'approccio orientato allo studente per interiorizzarla proprio come hanno fatto i suoi creatori. Inoltre, auguro ai partecipanti al progetto di rendere questi pensieri non solo essenziali per il loro lavoro pedagogico, ma anche di diffonderli ulteriormente. Solo così, dal basso verso l'alto, potremo ottenere cambiamenti nell'educazione del nostro Paese. Evidentemente, dipende da noi, dagli insegnanti, perché purtroppo non possiamo contare sui nostri politici.

5. KATARINA CHWARZOVA

Katarina Schwarzova ha conseguito la laurea in Scienze Civiche e Lingua Inglese presso l'Università dei Ss. Cirillo e Metodio di Trnava. In seguito ha deciso di studiare la lingua inglese nella comunicazione professionale e ha completato con successo i suoi studi con un dottorato di ricerca. Oggi lavora come responsabile creativo dei corsi di lingua presso l'Accademia Harmony.

Il motivo per cui ho deciso di invitare Katka Schwarzova a contribuire a questo libro è molto prosaico. Quando 1 le ha offerto un lavoro come responsabile dei corsi di lingua presso l'Accademia Harmony nel dicembre 2014, durante uno dei nostri incontri mi ha detto: "Janka, questa posizione lavorativa è stata creata proprio per me. Comprende molta varietà, opportunità di ulteriore apprendimento e libertà sul lavoro, il che significa davvero molto per me". "Ho assunto Katka il 1° aprile 2015 e da allora ha convinto tutti noi di Harmony per le sue eccezionali capacità, il suo comportamento responsabile, il suo orientamento agli obiettivi e la sua forte volontà. Apprezzo molto il suo approccio amichevole e mi piace anche la sua inconfondibile risata. Ogni volta che la sento, so che, nonostante la pressione con cui svolge ogni giorno le sue mansioni, è in grado di fermarsi un attimo, di riprendere fiato e di gestire qualsiasi situazione sul posto di lavoro, rimanendo al passo con i tempi. Katka è stata una delle mie scelte chiave nella costruzione del nostro nuovo sistema Learn&Lead e oggi sono felice di averla al mio fianco. Ogni giorno affronta diverse sfide sul lavoro, che sono parte integrante della nostra vita. Auguro a entrambi di trovare la pace, la riflessione, il coraggio e la volontà di rafforzare in noi stessi l'ideale di un uomo comprensivo, paziente e propositivo, che lavora in una posizione manageriale nella nostra azienda.

Qual è il suo rapporto con Jana Chynoradska e con l'Accademia Harmony? Come lo descriverebbe?

Innanzitutto, devo dire che HARMONY ACADEMY non è una tipica scuola di lingue. Si preoccupa non solo dei suoi studenti, ma anche dei suoi formatori e permette loro di crescere e svilupparsi professionalmente. Per quanto riguarda il team di lavoro, è davvero eterogeneo. I nostri colleghi hanno età ed esperienze personali e lavorative diverse. Da ognuno di loro ho imparato qualcosa di nuovo e ne sono davvero grata. Tuttavia, al lavoro sono in contatto soprattutto con Janka, dato che condividiamo lo stesso ufficio. In pratica, è lei il motivo per cui sono entrata a far parte di HARMONY ACADEMY. È stata lei a convincermi che HARMONY era la scelta giusta nel momento in cui io stessa ne avevo bisogno e che ero la scelta giusta per HARMONY. Ma il mistero più grande per me di Janka è la sua capacità di gestire più compiti e cose contemporaneamente. È una madre, una moglie, una formatrice, una direttrice, una project manager... Io sarei crollata sotto la pressione, ma lei no. Va sempre avanti e questo è un aspetto che ammiro molto.

Questo libro si intitola "Scelgo perché è la mia vita". Quale scelta è stata finora la più difficile nella sua vita? Perché?

È davvero difficile rispondere a questa domanda. Ogni giorno una persona prende delle decisioni e sceglie tra alcune opzioni. Che si tratti di piccole cose o di importanti decisioni di vita/lavoro, bisogna affrontarle al meglio delle proprie possibilità. Io prendo ogni decisione nella convinzione che sia giusta in quel momento, con le informazioni che ho a disposizione e l'esperienza che ho acquisito. E quella che oggi sembra la scelta più difficile della vita, domani potrebbe essere un gioco da ragazzi.

Il libro è il seguito di "I CAN because it's My Life", che si rivolgeva a insegnanti e formatori, concentrandosi sulla loro libertà in classe. Come ha risuonato questo messaggio nella sua vita professionale?

Poiché lavoro nella posizione di sviluppatore di corsi/manager creativo, mi trovo di fronte a tipi di lavoro diversi rispetto ai nostri insegnanti e formatori. Pertanto, non applico la libertà in un'aula, ma nelle mie mansioni quotidiane e nei compiti che ne derivano. Ma devo ammettere che, per quanto riguarda la libertà sul lavoro, HARMONY ACADEMY è unica e si differenzia dalle altre scuole di lingue. Ognuno può proporre qualcosa di nuovo e dare vita alle proprie idee, essere creativo. È una cosa che non avevo mai sperimentato prima di iniziare a lavorare alla Harmony.

"I CHOOSE because It's My Life" (Scelgo perché è la mia vita) dà un chiaro segnale a tutti che è lui/lei a decidere della propria vita. Incoraggia una persona a rendersi conto del proprio potere e la invita a prendere una decisione per una vita migliore e di maggior valore. Quale messaggio invierebbe ai lettori in questo contesto?

La vita di ognuno è nelle sue mani. Ognuno di noi è responsabile della propria vita e deve prendere decisioni ogni giorno. A volte può sembrare che siano gli altri a decidere per noi, per esempio la banca a cui paghiamo un prestito, il nostro supervisore al lavoro a cui diamo dei moduli da firmare per approvare i nostri appuntamenti dal medico o le nostre vacanze. Sembra bizzarro, ma è così. Alla fine, però, siamo solo noi ad avere l'ultima parola. Qualsiasi cosa non ci piaccia della nostra vita è nelle nostre mani e possiamo cambiarla in qualsiasi momento. Servono solo determinazione e coraggio.

Nella sua versione semplificata, *Learn&Lead* potrebbe essere definito come apprendimento e sviluppo permanente. Che ruolo ha l'apprendimento permanente nella vostra vita?

L'apprendimento permanente è anche per me una parte molto importante ed essenziale della mia vita. Non siamo mai abbastanza intelligenti da non aver bisogno di istruirci ulteriormente. Questo mondo va avanti con una velocità inarrestabile, quindi non possiamo "riposare sugli allori". Dobbiamo continuare a imparare e a spingerci avanti per essere sempre migliori. L'informazione è sempre a nostra disposizione. Tutti noi portiamo quotidianamente con noi il cellulare, il tablet o il notebook e possiamo collegarci in qualsiasi momento e in qualsiasi luogo a Internet, dove possiamo trovare le risposte a tutte le nostre domande. Ma io sono il tipo di persona che, nonostante tutte le comodità di quest'epoca, preferisce ancora i libri. Per me sono la giusta fonte di informazione e allo stesso tempo una forma di relax. Non vi rinuncerò mai.

Cosa avete dovuto subire prima di capire che la vostra vita è nelle vostre mani? Quali sono stati i fallimenti o le vittorie più determinanti nella vostra vita?

Il fatto che la mia vita sia nelle mie mani e che dipenda interamente da me il modo in cui decido di gestirla, l'ho compreso appieno quando ho ricevuto il più grande "schiaffo" in faccia che la vita mi abbia mai dato. Da allora ci sono stati molti "schiaffi", ma il primo non si dimentica mai. Ho dovuto fermarmi e pensare "che cosa c'è dopo?". In quel momento ho capito che dipende solo da me. Da allora, ogni volta che mi trovo di fronte a un ostacolo o a un bivio, so che qualunque decisione prenda sarà giusta perché l'ho presa io, ho fatto la scelta.

Chi è al vostro fianco quando dovete fare una scelta? Perché questa persona è importante nella vostra vita?

I miei genitori e mia sorella mi sono stati accanto per tutta la vita. Sono stati presenti quando ho preso ogni decisione e scelta. Ora tocca sicuramente a mio marito. Anche se la decisione e la scelta finale spettano a me, perché saranno loro ad avere il maggiore impatto su di me. Ma sono le persone su cui posso sempre contare quando ne ho bisogno. E per questo gli sarò sempre grata.

Avete un rituale, un segno/indicazione o altri aiutanti che vi guidano nel processo di scelta?

Personalmente, non credo nei segni o nei rituali. Forse quando ero molto più giovane. Tuttavia, la vita mi ha insegnato a contare su me stessa. Come ho già detto, le persone più vicine a me mi sostengono quando prendo decisioni e faccio delle scelte, ma alla fine dipende solo da me come decidere.

Lei è stato invitato a questo libro come una delle persone chiave che hanno contribuito a costruire il nuovo concetto di formazione per adulti *Learn&Lead*. Come descriverebbe il percorso di apprendimento che ha dovuto affrontare durante lo sviluppo di questo concetto?

Sono entrata a far parte di Harmony proprio nel momento in cui il progetto si stava concludendo e il concetto di Learn&Lead iniziava a essere implementato. Non l'ho visto come un cambiamento, perché all'epoca tutto era nuovo per me, anche se ho percepito i cambiamenti in atto nel mio ambiente. Come i formatori hanno affrontato questi cambiamenti. All'inizio c'è stato un periodo di sfida, tipico di ogni periodo di cambiamento. È stato seguito da un periodo di rassegnazione, quando hanno smesso di lottare contro il nuovo sistema e hanno iniziato ad accettarlo come parte della loro vita lavorativa. L'intero processo ha portato all'accettazione del cambiamento e all'identificazione con il nuovo sistema. Il modello Learn&Lead offre ai formatori l'opportunità di svilupparsi e crescere professionalmente. È un modello unico e audace che distrugge la concezione tipica dell'istruzione e la percezione degli insegnanti/formatori. Di conseguenza, è la scelta giusta per i formatori ambiziosi che amano le sfide e non hanno paura di qualcosa di nuovo.

Che cosa significa oggi per lei Learn&Lead?

Per me, Learn&Lead è un modello pienamente funzionale di gestione della scuola di lingue e del percorso di sviluppo professionale del formatore. Quindi, supporta come sistema non solo la scuola di lingue, ma anche i suoi formatori e dipendenti, aiutandoli a diventare specialisti migliori e più validi nei loro settori. È molto elaborato, ma intrinsecamente molto facile da capire. Per questo motivo, fa parte della mia vita quotidiana.

Cosa augura a Learn&Lead per il futuro?

Soprattutto la comprensione, perché se le persone capiscono il significato di questo modello, si identificheranno con esso. E questo porterà successo sia a loro che a questo modello.

6. MARIO BARANOVIC

Ho conosciuto Mario Baranovic nel 2014, quando è diventato il mio consulente economico nell'adeguamento del modello Learn&Lead. Ha trascorso con me uno dei periodi chiave del nuovo assetto della gestione aziendale; ci ha anche aiutato a definire le priorità e a impostare i processi per la parte commerciale e finanziaria del modello Learn&Lead grazie alla sua visione professionale della gestione strategica e finanziaria dell'azienda. Nel mondo di oggi, Mario rappresenta un uomo-specialista che sa ispirare, insegnare e guidare le persone, tenendo conto delle loro esigenze e possibilità attuali in modo sensibile. Ho trovato in lui un maestro che ha portato un po' di luce e di fiducia nelle mie capacità nella mia vita e in una delle mie "stanze segrete". In relazione a questo libro ho scelto lui perché è la mia scelta n. 1 per la posizione di esperto. 1 per la posizione di consulente esperto in gestione finanziaria e strategica dell'azienda. Credo che attraverso la nostra collaborazione e il modello Learn&Lead saremo in grado di portare benefici a chiunque si identifichi in esso.

Qual è il suo rapporto con Jana Chynoradska e con l'Accademia Harmony? Come lo descriverebbe?

Nel corso della nostra collaborazione, il mio rapporto con Jana e Harmony è stato professionale. Allo stesso tempo, in diverse situazioni (anche di crisi), il mio rapporto ha assunto una forma di comunicazione personale. Inoltre, mi piace Jana e provo rispetto per lei anche per le difficoltà che ha dovuto affrontare scegliendo la strada di L&L.

Questo libro si intitola "Scelgo perché è la mia vita". Quale scelta è stata finora la più difficile nella sua vita? Perché?

La scelta di passare dal lavoro dipendente all'attività imprenditoriale è associata a grandi incertezze e dubbi. Ma quando una persona acquisisce gradualmente una formazione professionale e imprenditoriale e sperimenta più volte cadute e risalite, alla fine comprende la propria missione nella vita e inizia ad agire in conformità con i propri principi fondamentali. Diventa più forte e sicura delle proprie capacità. L'incertezza si trasforma in certezza, fiducia in se stessi e legittimità della strada scelta in collaborazione con le persone giuste.

"I CHOOSE because It's My Life" (Scelgo perché è la mia vita) dà un chiaro segnale a tutti che è lui/lei a decidere della propria vita. Incoraggia una persona a rendersi conto del proprio potere e la invita a prendere una decisione per una vita migliore e di maggior valore. Quale messaggio invierebbe ai lettori in questo contesto?

Chi è al vostro fianco quando dovete fare una scelta? Perché questa persona è importante nella vostra vita?

A questa domanda è già stata data una risposta in precedenza. Ci sono valori umani fondamentali che dovete definire voi stessi. Uno di questi è la famiglia, che è anche la mia risposta alla domanda.

Avete un rituale, un segno/indicazione o altri aiutanti che vi guidano nel processo di scelta?

Chiunque voglia arrivare da qualche parte, cambiare qualcosa, realizzare qualcosa o lasciare qualcosa alle generazioni successive deve avere un sogno. Inoltre, deve avere un obiettivo legato alla sua missione, degli strumenti (abilità) con cui spianare la propria strada e i corrispondenti valori di base.

Lei è stato invitato a questo libro come una delle persone chiave che hanno contribuito a costruire il nuovo concetto di formazione per adulti *Learn&Lead*. Come descriverebbe il percorso di apprendimento che ha dovuto affrontare durante lo sviluppo di questo concetto?

Se non sono soddisfatto della mia vita, lamentarsi non è sufficiente. Se davvero non sono soddisfatto della mia vita, devo cambiare e iniziare a conoscere me stesso per realizzare questo cambiamento. Con un obiettivo chiaro e sapendo perché lo sto facendo, non perderò mai la direzione e raggiungerò la meta che mi sono prefissato.

Nella sua versione semplificata, *Learn&Lead* potrebbe essere definito come apprendimento e sviluppo permanente. Che ruolo ha l'apprendimento permanente nella vostra vita?

La formazione può avere diversi livelli: professionale, comunicativo, mentale e personale. Perché dovrei farlo? La risposta è: non realizzerò mai il mio sogno se non affronto degli ostacoli. E questi possono essere superati solo imparando per poter realizzare il mio sogno.

Cosa avete dovuto subire prima di capire che la vostra vita è nelle vostre mani? Quali sono stati i fallimenti o le vittorie più decisivi nella vostra vita?

La vittoria contro me stesso è la più grande quando riesco a tenere sotto controllo il mio modo di agire e di pensare, cambiando così il mio destino. Forse sembra complicato, ma se distinguo gli affari che posso influenzare da quelli che non possono essere influenzati, sarò in grado di decidere in modo rapido e corretto.

Ho partecipato allo sviluppo di L&L per circa un anno, utilizzando strumenti di analisi e reporting finanziario e soprattutto una comunicazione attiva con il proprietario. Ho partecipato anche al suo sviluppo all'interno dell'azienda quando è stato necessario indirizzare le decisioni per salvare l'azienda in tempi di crisi fino all'ingresso del nuovo investitore. Ritengo che le azioni intraprese abbiano avuto successo e auguro ad HARMONY e al progetto L&L di espandersi geometricamente affinché questo pensiero/concetto porti grandi risultati.

Che cosa significa oggi per lei Learn&Lead?

In generale, si tratta dello sviluppo progressivo di una persona nel suo modo di pensare e di dirigere le azioni successive definendo correttamente i suoi bisogni e desideri.

Cosa augura a Learn&Lead per il futuro?

Realizzare il messaggio nella sua interezza attraverso l'educazione e la corretta gestione, con conseguente successo e soddisfazione della persona in quanto tale.

7. KLAUDIA BEDNAROVA

Klaudia Bednarova ha studiato Lingua Inglese presso la Facoltà di Scienze della Formazione di
Università Costantino il Filosofo a Nitra. Non riusciva a trovare la scuola di lingue giusta, così ne ha fondata una. Oggi è un'ottima insegnante di lingue, un guru del marketing creativo, una fan di Facebook, una regista intransigente e una vegetariana convinta. Con lei c'è sempre un argomento di cui discutere; è una persona illuminata e colta. Le piace guardare le serie TV, leggere libri e nuotare. Ama le sue nipoti, i gatti, le passeggiate e l'insegnamento dell'inglese.

Dal 2011 a marzo 2017 ha lavorato come presidente dell'Associazione delle scuole di lingua della Repubblica Slovacca (AJS SR) e oggi è una figura di spicco di una delle più grandi conferenze per insegnanti e formatori di lingua inglese "ELT forum". Gestisce anche una propria scuola di lingue ed è un membro attivo del consiglio di amministrazione dell'AJS SR. In Klaudia ho trovato un partner per la costruzione di un sistema alternativo di formazione continua degli insegnanti e dei formatori di lingue straniere, e grazie alla sua convinzione, al suo talento negoziale e alla profondità delle sue argomentazioni il metodo Learn&Lead rappresenta oggi una piattaforma per la crescita e lo sviluppo della stessa AJS SR.

Qual è il suo rapporto con Jana Chynoradska e con l'Accademia Harmony? Come lo descriverebbe?

Conosco Jana dal 2011. La ammiro per il suo entusiasmo unico e per la sua visionarietà che motiva gli altri a progredire. Senza Jana e il suo entusiasmo per il suo lavoro, noi, insegnanti dalla mentalità pratica, non saremmo mai in grado di progredire nel metodo Learn & Lead. Il suo entusiasmo è così contagioso per coloro che la circondano, che tutti guardano con stupore e meraviglia la fonte da cui scaturisce la sua energia.

Questo libro si intitola "Scelgo perché è la mia vita". Quale scelta è stata finora

la più difficile nella sua vita? Perché?

A dodici anni mi sono trovata di fronte alla decisione più difficile della mia vita. Non sono mai stata incline alla religione, ma a quell'età pensavo molto a Dio. Decisi che dovevo assumermi la responsabilità della mia vita, di ogni decisione buona o cattiva che avrei preso. Sapevo che nessun altro si sarebbe preso la responsabilità delle mie azioni. Mi resi conto che la morale e i buoni principi erano importanti per me, indipendentemente dalla fede. Ho deciso di vivere senza dubbi e di non compromettere la mia coscienza e i miei sogni. Sapevo che se volevo progredire nella vita avrei commesso degli errori. Le cose difficili ci spingono ad andare avanti nella vita. Abbiamo una sola vita e il modo in cui la trattiamo è nelle nostre mani; solo noi siamo responsabili di creare il nostro destino.

La decisione di avviare un'attività commerciale è stata anche una delle più significative della mia vita. Sognavo di creare uno spazio in cui poter fare ciò che mi piace con le persone che mi piacciono. Mi piace il fatto che la mia scuola abbia buoni risultati e che sia circondata da persone fantastiche che rispetto e apprezzo.

Il libro è il seguito di "I CAN because it's My Life", che si rivolgeva a insegnanti e formatori, concentrandosi sulla libertà che hanno nelle classi. Come ha risuonato questo messaggio nella sua vita professionale?

Durante la mia infanzia, sono rimasta affascinata dalla citazione di un autore: "Nella vita, si tratta di gestire la propria libertà". Fin dall'infanzia l'abbiamo avuta e in base alla nostra età dobbiamo affrontarla. Penso che i genitori dovrebbero dare una certa responsabilità anche ai bambini più piccoli. Se non si insegna a un bambino di prima elementare a pensare ai suoi compiti e a ciò che deve avere nella borsa per il giorno dopo, quando capirà che deve sopportare le conseguenze delle proprie decisioni?

La responsabilità non arriva nella nostra vita all'improvviso, non ci cade addosso dal cielo. Se non ci è stato insegnato ad essere responsabili fin dall'infanzia, non impareremo dai nostri piccoli errori e più tardi, da adulti, cammineremo con disagio. Una persona impara a essere responsabile durante gli anni dell'infanzia e gli insegnanti sono una parte essenziale di questo processo. Gli studenti imparano a gestire le responsabilità e ad affrontare le cose con coraggio da come gli insegnanti misurano i loro progressi.

Penso razionalmente prima di prendere decisioni: cosa succede se non funziona? Qual è la cosa peggiore che può accadere? Mi aiuta a rendermi conto dei rischi che corro quando prendo certe decisioni. L'ho imparato dal mio insegnante di scuola superiore. In una certa classe ero in bilico tra la sufficienza e la sufficienza, così mi chiese se volevo correggere il voto. Mi sono sentita abbastanza sicura di me stessa da provarci, anche se non ero preparata. Alla fine ho preso una C e allora ho finalmente capito che c'è una grande differenza tra il correre un rischio sano e l'essere troppo sicuri di sé e spingersi verso qualcosa di audace.

Tutto questo ha avuto una grande influenza su di me non solo come persona, ma sicuramente anche come insegnante. Sono convinta che gli insegnanti, così come i genitori, svolgano un ruolo fondamentale nella vita di una persona. La consapevolezza che "la mia libertà finisce dove inizia la tua" dovrebbe essere vissuta e insegnata da tutti gli insegnanti. Per me, si tratta di un rispetto di base nei confronti del mondo che mi circonda.

Nella sua versione semplificata, *Learn&Lead* potrebbe essere definito come apprendimento e sviluppo permanente. Che ruolo ha l'apprendimento permanente nella vostra vita?

L'apprendimento permanente è assolutamente essenziale per questo secolo. Il mercato del lavoro si è sviluppato più rapidamente di quanto siamo in grado di adattare i programmi e i corsi scolastici. Sono aumentate enormemente le richieste agli insegnanti, che non sono in grado di preparare gli studenti a qualsiasi eventualità. La soluzione non è insegnare le materie, ma insegnare agli studenti, insegnare loro a pensare in modo critico, a valutare e collegare le informazioni che ricevono e ad apprendere nel modo giusto.

Cosa avete dovuto subire prima di capire che la vostra vita è nelle vostre mani? Quali sono stati i fallimenti o le vittorie più determinanti nella vostra vita?

Abbiamo un periodo limitato di tempo a disposizione nella nostra vita. Un momento importante per me è stato quando ho capito cosa voglio lasciare dietro di me. In passato, ho lavorato due volte con forza su qualcosa, ci ho messo tutta la mia energia e il mio tempo, e dopo aver finito tutto è crollato. Quando oggi decido di investire le mie energie in qualcosa, questa deve avere uno scopo e un impatto duraturo sulla vita intorno a noi.

Chi è al vostro fianco quando dovete fare una scelta? Perché questa persona è importante nella vostra vita?

La mia famiglia e i miei amici. Le persone che mi circondano sono abituate al fatto che sono una persona diretta, vado dritto al punto. Mi rispondono con gentilezza. Non sono il tipo di persona che ascolta gli altri e implora i loro consigli. I miei genitori mi hanno insegnato che quando si parla con una persona si deve mostrare rispetto, ma si può sempre essere diretti e offrire critiche costruttive. Una persona così può sopportare. Non cerco di andare d'accordo con tutti e di convincerli della "mia verità". Alla fine, non è scritto da nessuna parte che la mia "verità" in cui credo sia effettivamente giusta. I miei amici più stretti hanno affrontato mi ha dato un feedback anche quando non mi era stato chiesto. Questo specchio mi è stato mostrato influenza i miei pensieri, le mie azioni, le mie convinzioni, le mie scelte e la mia vita.

Avete un rituale, un segno/indicazione o altri aiutanti che vi guidano nel processo di scelta?

Se non sono sicuro, chiedo a diverse persone intorno a me. Ascolto, penso e considero ciò che mi dicono. Non chiedo consigli direttamente.

Che cosa significa oggi per lei Learn&Lead?

Una visione progressista. Si tratta del percorso professionale di un formatore, ed è uno strumento con cui possiamo attrarre persone ambiziose che vogliono migliorare, educare e migliorarsi. L'attuale sistema formativo respinge gli specialisti anziché attrarli. Non viene offerta o resa disponibile né una crescita professionale, né una retribuzione adeguata. Gli insegnanti competenti non sono motivati a far parte di questo sistema. Learn & Lead offre l'opportunità di una progressione di carriera nel settore dell'istruzione e questa è la chiave. Essere un insegnante migliore significa essere una persona migliore. Se voglio essere un buon insegnante, non posso insegnare ogni anno nello stesso modo. Io stesso devo imparare e progredire. In quale altro modo posso convincere uno studente a fare altrettanto?

Il primo livello del programma è rivolto allo studente. L'insegnante impara ad analizzare lo studente, a capire che tipo è e quale tecnica di insegnamento funziona meglio con lui. Segue l'addestramento alla comunicazione. L'insegnante impara a catturare l'attenzione dello studente, a organizzare la classe e a comunicare con i colleghi e gli studenti nel modo più efficace.

Il secondo livello riguarda la leadership e la gestione. Un formatore è il leader della classe. Si prende cura degli studenti, che insieme formano una squadra. Ogni studente di lingue straniere vive periodi di felicità, problemi sul lavoro o nella vita privata. Durante i corsi si comporterà di conseguenza. Solo un insegnante che sia un buon leader di gruppo può motivare adeguatamente la classe a progredire e a imparare divertendosi.

Il terzo livello prevede che l'insegnante diventi un formatore che collega argomenti speciali con la lingua. Condivide la sua esperienza e le sue capacità con i colleghi più giovani e meno esperti e contemporaneamente sale nella scala degli stipendi.

Qualcuno potrebbe obiettare che i veri valori non sono monetari, ma nel campo dell'istruzione è necessario superare questo pregiudizio, altrimenti non possiamo progredire pensando alla qualità. Learn & Lead può cambiare l'istruzione dalle fondamenta in su. Per questo, per me, l'entusiasmo di Jana è estremamente importante. Lei continuerà a ispirarci a sognare e insieme andremo avanti con gioia ed entusiasmo fino a quando non saremo in grado di cambiare insieme.

Cosa desiderate per Learn&Lead per il futuro?

Realizzarlo con successo.

8. VICKI PLANT

Vicki PLANT ha una vasta esperienza nell'insegnamento dell'inglese come lingua straniera, maturata in Francia negli ultimi 6 anni. È specializzata nell'insegnamento dell'inglese agli adulti, soprattutto nelle aziende, per consentire ai professionisti di operare meglio nel contesto internazionale. Ha grandi capacità tecniche e manageriali; dopo una prima laurea in informatica e matematica, ha conseguito un MBA presso la Open University Business School, entrambi nel Regno Unito. Ha maturato la sua esperienza commerciale lavorando in diversi settori sia nel Regno Unito che in Europa. Cerca sempre di migliorare le proprie conoscenze e capacità attraverso una continua formazione e sviluppo professionale e personale. È molto interessata a rendere disponibili la formazione e lo sviluppo professionale agli insegnanti di lingue straniere, in modo che questo campo sia considerato un'area professionale di competenza.

Vicki ha svolto un ruolo chiave nella creazione del programma di formazione "Parent as a Leader", quando abbiamo capito che un formatore qualificato è uno dei successi del suo lancio. Tale persona non era un "insegnante di inglese", ma un moderno FORMATORE che ha la sua capacità di "vita" e la sua esperienza "professionale" con la genitorialità. Le sono grato per il suo genuino interesse a scoprire le basi dei miei pensieri che sono giustificabili in questo mondo nel tempo e nello spazio, e per quelle persone a cui tali pensieri devono portare beneficio, incoraggiamento e speranza per costruire una società più valida e più istruita. Credo che il futuro mostrerà a entrambi quanto sia stata e sia tuttora importante la nostra amicizia personale e professionale.

Qual è il suo rapporto con Jana Chynoradska e con l'Accademia Harmony? Come lo descriverebbe?

Conosco Jana da oltre 3 anni; l'ho incontrata per la prima volta quando ho partecipato al progetto europeo creato per sviluppare Learn & Lead for Parents. Il team del progetto era composto da tre squadre di tre Paesi, Slovacchia, Repubblica Ceca e

Francia, e io facevo parte del team francese anche se sono inglese. È stato qui che ho scoperto il concetto di Learn & Lead e come si possa applicare a tutti, non solo in campo professionale ma anche nella nostra vita di genitori: abbiamo sempre bisogno di imparare e attraverso questo apprendimento e sviluppo possiamo iniziare a guidare gli altri, soprattutto nel nostro ruolo di genitori. Il primo incontro del progetto si è tenuto ad Harmony ed è stato qui che ho conosciuto Jana e il suo team di insegnanti; sono rimasta molto colpita dal loro stile di insegnamento e dalla varietà di tecniche diverse che utilizzavano. Dopo questo progetto, dal 2015 ho lavorato con Jana al progetto Prolant-cap, che ora si sta concludendo.

Ritengo che il mio rapporto con Jana sia reciproco e che entrambi possiamo imparare l'uno dall'altro; entrambi abbiamo competenze ed esperienze diverse e quindi possiamo affrontare le cose da punti di vista diversi, ma possiamo comunque lavorare insieme per raggiungere gli obiettivi e realizzare i progetti. Vedo Jana come una persona molto visionaria, con un forte senso e un'idea di dove vuole andare e di dove sta portando tutto questo. Io sono molto diversa, in quanto non ho la visione o la forza trainante, ma riesco a cogliere una visione e a vedere come le cose si incastrano e cosa è necessario fare per portarle avanti.

Questo libro si intitola "Scelgo perché è la mia vita". Quale scelta è stata finora la più difficile nella sua vita? Perché?

Ho avuto alcune scelte difficili nella mia vita, ma probabilmente quella che ha avuto maggiore impatto e portata è stata quando abbiamo scelto di vivere in Francia. Io e mio marito vivevamo una vita confortevole in Inghilterra, con le sfide costanti e quotidiane di una giovane famiglia, ma senza l'eccitazione e l'interesse a cui eravamo abituati, quando entrambi avevamo carriere e vite sociali impegnate e tempo per noi stessi!

Parlavamo regolarmente di trasferirci all'estero e, forse stimolati dai frequenti programmi televisivi dell'epoca che promuovevano la vita all'estero e mostravano la bella vita che le persone sembravano avere, abbiamo iniziato a pensare alle nostre opzioni. La Nuova Zelanda, la nostra prima scelta, è stata scartata a causa della distanza dal Regno Unito e dalle nostre famiglie e poi, dopo aver fatto un giro in Francia, abbiamo trovato una località particolare che ci piaceva: il sud-ovest della Francia, vicino alle montagne dei Pirenei e all'oceano. I prezzi delle case erano bassi e il tasso di cambio era buono, così ci siamo guardati intorno e abbiamo scelto rapidamente una proprietà che sembrava avere tutte le carte in regola per essere acquistata: sembrava così facile. Ma poi, una volta tornati nel Regno Unito, le cose si sono fatte più difficili: volevamo davvero trasferirci in Francia in modo permanente, poteva essere una casa part-time, poteva essere solo una casa per le vacanze?

Ora avevamo più domande e più decisioni da prendere di prima. Era la cosa giusta per i nostri figli? Si sarebbero adattati, ci saremmo adattati? Avremmo/avrebbero mai imparato la lingua? A cosa stavamo pensando...? Abbiamo parlato con amici e parenti, abbiamo stilato liste di pro e contro, abbiamo analizzato, discusso, ma non c'era una risposta semplice. Dopo aver girato in tondo, cercando di capire cosa fosse meglio, è diventato chiaro che si trattava di una semplice scelta: andare o restare? Rimanere con una vita comoda e facile o fare il grande passo e provare qualcosa di diverso, vivere un'avventura, sfidare e sviluppare noi stessi e la nostra vita. Entrambi i percorsi avrebbero avuto i loro punti positivi e negativi, non c'era una "risposta giusta", quindi si trattava di fare una scelta. Abbiamo scelto di partire e da quel momento abbiamo iniziato una nuova vita in Francia. Non posso dire che sia stato facile, anzi a volte è stato molto difficile, non posso dire che sia stata la scelta "giusta", ma abbiamo fatto una scelta e questa è la nostra vita adesso. Se in futuro sceglieremo di lasciare la Francia per andare altrove è un'altra scelta che dovremo fare.

Il libro è il seguito di "I CAN because it's My Life", che si rivolgeva a insegnanti e formatori, concentrandosi sulla libertà che hanno nelle classi. Come ha risuonato questo messaggio nella sua vita professionale?

Insegno da 8 anni e prima di allora la mia vita professionale si svolgeva nei settori della tecnologia e dell'economia. Quando lavoravo in questi settori sentivo di avere più scelte e più opportunità di sviluppo e di scegliere la direzione della mia carriera. Da quando sono stata coinvolta nei progetti con Jana ho visto che è possibile fare di più nel mondo dell'insegnamento delle lingue, ci sono più strade aperte ma c'è ancora molto lavoro da fare per quanto riguarda la progressione e lo sviluppo della carriera. In termini di libertà in classe, ciò che richiama alla mente è il senso di essere se stessi, ogni insegnante ha uno stile diverso, una personalità diversa e un modo diverso di essere e di permettere che questo fiorisca in classe nel nostro modo individuale.

"I CHOOSE because It's My Life" (Scelgo perché è la mia vita) dà un chiaro segnale a tutti che è lui/lei a decidere della propria vita. Incoraggia una persona a rendersi conto del proprio potere e la invita a prendere una decisione per una vita migliore e di maggior valore. Quale messaggio invierebbe ai lettori in questo contesto?

È importante rendersi conto che si ha il potere di creare la propria vita e che non ha senso aspettare che la vita venga a noi, bisogna prendere l'iniziativa e decidere cosa si vuole fare e come vivere la propria vita. L'unica riserva che ho è che nessuno vive nel vuoto e le scelte che facciamo devono tenere conto delle persone che ci circondano e degli effetti che potrebbero avere su di loro. Quando ero single e prima di avere figli, le scelte erano solo mie, ma ora riconosco che le mie scelte hanno un impatto sulle persone che mi sono vicine e che devo tenerne conto. Non sono certo perfetta in questo, forse nemmeno brava, ma riconosco che ci sono dei confini e dei limiti alle decisioni che prendo. Allo stesso modo, le mie scelte e le mie decisioni devono essere delimitate dalla realtà: non ha senso che io decida di diventare il prossimo presidente francese, se non sono francese e se le mie capacità di parlare non sono ottime!

Nella sua versione semplificata, *Learn&Lead* potrebbe essere definito come apprendimento e sviluppo permanente. Che ruolo ha l'apprendimento permanente nella vostra vita?

Ho sempre amato imparare cose nuove e questo è sempre stato un motore della mia vita. Anche dopo aver terminato l'università ho sempre fatto, e continuo a fare, corsi per migliorare le mie capacità, che si tratti di imparare le basi di una nuova lingua, di provare nuovi sport o di sviluppare il mio talento artistico. Penso costantemente a come migliorare le cose, a come farle progredire e a come svilupparmi: è una delle gioie della mia vita scoprire cose nuove, mantiene la vita viva e fresca. Non credo che mi fermerò mai.

Cosa avete dovuto subire prima di capire che la vostra vita è nelle vostre mani? Quali sono stati i fallimenti o le vittorie più decisivi nella vostra vita?

Quando lavoravo nel mondo del lavoro c'era anche un capo, da qualche parte più in alto, che prendeva decisioni sul tuo lavoro, sul tuo percorso professionale e su ciò che andava fatto al lavoro. Probabilmente uno dei momenti più decisivi della mia vita è stato quando ho deciso di prendere una pausa dalla mia carriera e ho chiesto un anno sabbatico di 6 mesi per viaggiare intorno al mondo. Non era una cosa che si faceva nella nostra azienda, ma in qualche modo era stato deciso che potevo farlo... poi all'ultimo minuto la decisione è stata annullata dalle Risorse Umane perché non volevano creare un precedente. Avrei dovuto dimettermi e ripresentare la domanda al mio ritorno. Ero al telefono con il mio manager e mi è stato chiaro che questa era la mia scelta, la mia vita e dovevo farlo, così ho detto ok e sono partita con le mie valigie e mio marito per esplorare per 6 mesi. Ora che ci ripenso, è stato un fallimento o una vittoria? - Non ne sono sicura, ma ha cambiato la direzione della mia vita lavorativa e da allora non mi sono più sentita così legata a una particolare carriera.

Chi è al vostro fianco quando dovete fare una scelta? Perché questa persona è importante nella vostra vita?

Ci sono diverse persone che mi aiutano quando devo fare una scelta. Mi rivolgo spesso a mia sorella, a mio padre o a buoni amici, ma ovviamente la persona con cui parlo normalmente è mio marito. Devo ammettere che non è sempre la scelta migliore, non sempre capisce e non sempre è d'accordo con me, ma è una persona affidabile a cui posso sottoporre le mie idee e discutere le opzioni che ho o non ho. In genere riusciamo a risolvere le cose, anche se dobbiamo affrontare discussioni accese prima di uscirne.

Avete un rituale, un segno/indicazione o altri aiutanti che vi guidano nel processo di scelta?

Tendo a riflettere sul momento e se sento un senso di pace con la scelta, se mi sembra giusta, allora mi fido della decisione.

Lei è stato invitato a questo libro come una delle persone chiave che hanno contribuito a costruire il nuovo concetto di formazione per adulti *Learn&Lead*. Come descriverebbe il percorso di apprendimento che ha dovuto affrontare durante lo sviluppo di questo concetto?

Credo di aver dovuto uscire dalla mia normale routine e fare qualcosa che andasse al di là di ciò che faccio normalmente. Probabilmente ero rimasta un po' bloccata nella vita quotidiana dell'insegnamento, poiché c'era molta routine per quanto riguarda il tipo di lezioni, gli studenti, le tecniche e i materiali utilizzati. Nei tre anni in cui sono stata coinvolta in Learn & Lead, credo che sia stato un processo di trasformazione graduale e che abbia acquisito una nuova fiducia nell'insegnamento e nell'essere un leader. Ho dovuto riflettere sugli stili di insegnamento e ho esplorato diverse metodologie, ma probabilmente l'opportunità più grande è stata quella di far lavorare insieme i formatori per riflettere su come la professione di insegnante di lingue potrebbe essere cambiata e su come sviluppare nuove risorse e metodi di insegnamento.

Che cosa significa oggi per lei Learn&Lead?

È il concetto che siamo sempre in fase di apprendimento e che attraverso questo apprendimento non solo sviluppiamo noi stessi, ma lo trasmettiamo anche alle persone che ci circondano, che siano i nostri colleghi di lavoro o la nostra famiglia e i nostri amici. Per me, oggi, si riferisce allo sviluppo come formatore linguistico e al fatto che, attraverso il mio apprendimento e il mio miglioramento, posso lavorare con gli altri per trasmettere le idee e le conoscenze.

Cosa augura a Learn&Lead per il futuro?

Continuare nella direzione intrapresa e vedere questa visione per le scuole di lingue diventare una realtà, in modo che esista un settore in cui le persone e le scuole si sviluppino e migliorino continuamente in modo naturale e organico attraverso modi di operare nuovi e originali, rispettosi sia dei formatori che dei dirigenti.

9. PAUL DAVIS

Personalità. Un aspetto unico sulla scena dell'insegnamento della lingua inglese (ELT).

Avevo sentito parlare di Paul molto prima di conoscerlo personalmente e di sperimentarlo come mio formatore. Le voci che circolavano su di lui meritavano la mia attenzione proprio per la sua stravaganza e il suo stile di vita indipendente (oltre che per il suo modo di tenere corsi di inglese). Quando l'ho sperimentato come relatore al corso "Building positive group dynamics" presso Pilgrims nel luglio 2010 ho capito perfettamente perché è stato considerato una delle figure chiave di questa straordinaria scuola. Paul ha una profonda conoscenza, un'ampia percezione e offre un messaggio significativo attraverso il quale aiuta gli insegnanti a uscire dai sentieri battuti e a liberarsi dalle convinzioni che impediscono loro di essere persone vere e autentiche nelle loro classi. Quando lo incontrerete, capirete cosa intendo. Concedetevi il tempo necessario per conoscerlo e sappiate che sarà uno dei momenti più forti che porterà nuove preziose conoscenze nella vostra vita. Paul è un formatore di insegnanti e formatori del "2° piano", quindi è naturale che si debba crescere per raggiungere il suo "livello".

Qual è il suo rapporto con Jana Chynoradska e con l'Accademia Harmony? Come lo descriverebbe?

Qual è il mio rapporto con Harmony? Beh, è la scuola, io vengo qui, insegno e mi piace. E con te? Sei una persona che la pensa come me e che mi frequenta a Canterbury quando sono lì e anche quando sono in Slovacchia.

Questo libro si intitola "Scelgo perché è la mia vita". Quale scelta è stata finora la più difficile nella sua vita? Perché?

Recitare la mia età. A 30 anni si dovrebbe essere cresciuti e a 60 si dovrebbe essere davvero invecchiati, e per me è difficile. La scelta più grande che ho affrontato è quella di andare in pensione (ho 64 anni), che è molto difficile e frustrante. Ho scelto di andare in pensione, più o meno. Non scelgo davvero le cose. Per esempio, sono un'insegnante, ma non ho scelto di esserlo. Vedo solo dove vanno le cose e poi le cose accadono. Non sono una persona che sceglie molto bene.

È questo il punto: diventerò un insegnante, scriverò un libro o farò questo. Alcune cose sono accadute in modo organico. Nella mia vita, non dico di essere tipico, non riesco a capire le persone che scelgono le cose. La gente vuole essere una persona che si muove o che va a vivere in Spagna. Io seguo la corrente. Sono molto passivo-aggressivo nelle mie scelte.

Il libro è il seguito di "I CAN because it's My Life", che si rivolgeva a insegnanti e formatori, concentrandosi sulla libertà che hanno nelle classi. Come ha risuonato questo messaggio nella sua vita professionale?

Andrew Marvell, un poeta inglese, disse: "La tomba è un luogo bello e privato, ma nessuno, credo, vi si abbraccia". E credo che un'aula sia uno spazio molto privato. Quindi, quando entrate in classe, ci siete voi, gli studenti, nessun genitore e nessuna amministrazione. Una volta al mese un direttore sarebbe dovuto venire a ispezionare la mia classe, ma non lo faceva spesso perché era troppo pigro, così il capo veniva nella mia scuola e mi ispezionava ogni sei o tre mesi e alla fine della lezione gli studenti dicevano: "È un po' diversa dalla nostra solita lezione". Tu fai la lezione che il direttore si aspetta di vedere, finché gli studenti sono dalla tua parte, puoi fare quello che vuoi. A mio parere, la maggior parte degli insegnanti è oppressa dai programmi, dai libri di testo o da qualsiasi altra cosa. Dovete innanzitutto provvedere ai vostri studenti, dovete scendere al loro livello e dire loro cosa fareste voi, per poi portarli gradualmente in alto e sviluppare un modo più interessante di apprendere. Se va male, gli studenti diranno: "Datemi più grammatica", se va bene li avete dalla vostra parte, imparate con loro, ma nessuno lo sa perché nessuno viene in classe.

"I CHOOSE because It's My Life" (Scelgo perché è la mia vita) dà un chiaro segnale a tutti che è lui/lei a decidere della propria vita. Incoraggia una persona a rendersi conto del proprio potere e la invita a prendere una decisione per una vita migliore e di maggior valore. Quale messaggio invierebbe ai lettori in questo contesto?

Ok, io direi "non avere paura di uscire dal tuo rifugio" quando disapprovi, potrebbe essere utile. Le persone sono un po' troppo educate. Il disaccordo è più corretto perché spesso è passivo-aggressivo e finisce che nessuno fa niente. Bisogna litigare bene o anche accettare il fatto di non essere mai d'accordo.

Nella sua versione semplificata, *Learn&Lead* potrebbe essere definito come apprendimento e sviluppo permanente. Che ruolo ha l'apprendimento permanente nella vostra vita?

Beh, io ho smesso molto presto di fare qualifiche. Dipende dalla personalità, ad alcune persone piace migliorare le proprie qualifiche; io ho smesso, ne ho ottenute a malapena. Penso che alla fine si impari cosa fare; la cosa migliore che abbia mai sentito: "il segno di una lezione riuscita è quando l'insegnante ha imparato una cosa". A ogni lezione l'insegnante dovrebbe imparare una cosa. Se tu, l'insegnante, impari una cosa a ogni lezione, ogni ora, puoi essere molto più bravo di qualsiasi docente, linguista o psicologo.

Cosa avete dovuto subire prima di capire che la vostra vita è nelle vostre mani? Quali sono stati i fallimenti o le vittorie più decisivi nella vostra vita?

Non ho mai smesso di lottare. Alcune cose sono andate bene, altre male. Una cosa che odio è quando ascolto la TV o la radio e c'è una persona eroica che ha perso entrambe le gambe e poi ha deciso di diventare un alpinista senza gambe; odio questo tipo di storie ispirate di persone che hanno perso le gambe e poi hanno deciso di scalare tutte le montagne di tutti i continenti. Odio anche le storie di persone che hanno rischiato di morire e sono tornate indietro dalla morte, odio queste vittorie estreme. Ho sempre preferito un fallimento mediocre a un successo mediocre. Per quanto riguarda la domanda, non credo che sia vero. Non credo che la vita sia davvero nelle tue mani, credo di essere solo molto fortunato. Non ho mai vinto un milione, ma non ho mai perso una gamba in un incidente ferroviario, eccetera eccetera. Non credo di avere il controllo della mia vita. Sono un vagabondo. Ho cambiato lavoro, ho cambiato professione, ho cambiato relazione, ho cambiato posto in cui vivere.

Chi è al vostro fianco quando dovete fare una scelta? Perché questa persona è importante nella vostra vita?

Nessuno. Davvero. Ho una relazione. Ho un partner da 20 anni, ma non parliamo di scelte. Non faccio scelte, sono un vagabondo. Credo che questa sia la mia risposta, scusate.

Avete un rituale, un segno/indicazione o altri aiutanti che vi guidano nel processo di scelta?

Ci sono molte persone che ammiro molto e mi piace il loro stile, ma ho un problema se guardo le persone che rispetto davvero; tendo a comportarmi come loro, ma in modo molto peggiore di loro e perdo il modo in cui mi comporterei io. Quello che voglio è evitare il più possibile di guardare le persone. Non perché non ammiri il loro modo di lavorare, ma credo che se li osservi troppo perdi ciò che di buono c'è nel tuo modo di lavorare. Bisogna stare molto attenti; io osservo qualcuno che è davvero bravo e poi smetto di osservarlo, di guardare come lavora, per precauzione, in modo da non prendere a modello e perdere il mio stile.

Lei è stato invitato a questo libro come una delle persone chiave che hanno contribuito a costruire il nuovo concetto di formazione per adulti *Learn&Lead*. Come descriverebbe il percorso di apprendimento che ha dovuto affrontare durante lo sviluppo di questo concetto?

Anche questa è una domanda un po' difficile. In sostanza, mi è stato chiesto di fare quello che faccio normalmente per Harmony. In pratica, ho fatto quello che faccio di solito, quindi non mi rendo conto di essere parte di una strategia, a parte la possibilità di incontrare persone e personale a cena.

Che cosa significa oggi per lei Learn&Lead?

È una frase interessante. Non ho mai approfondito la questione. Sarei molto interessato ad approfondire. Quando parlo, non mi piace parlare di studenti, ma di studenti. L'insegnante è un tecnico, un leader tecnico. Questa è la mia filosofia di base.

Cosa augura a Learn&Lead per il futuro?

Lo chiedete a qualcuno che è in pensione. © Penso che la sopravvivenza, ci sarà sempre una piccola parte di qualsiasi industria che è all'avanguardia in un campo molto difficile. Quindi, si spera che sopravviverete e prospererete.

DORIS SUCHET dirige da oltre dodici anni la più antica scuola di lingue di Oxford. La scuola REGENT OXFORD, fondata nel 1953, è frequentata ogni anno da quasi mille studenti provenienti da tutto il mondo. Nella stagione estiva impiega 35 insegnanti. È originaria della Polonia, ma fin dai suoi studi universitari vive e lavora a Oxford.

Ho avuto l'opportunità di conoscere Doris in occasione di una delle conferenze in questa bellissima città antica, diversi anni fa. Durante la preparazione del percorso Learn&Lead, è stata anche la sua scuola a darmi le risposte ad alcune delle domande che mi frullavano per la testa. Ho conosciuto Doris come una donna molto dinamica e propositiva, che sa quello che fa. Nella sua scuola ho trovato i formatori che potevano guidarmi e sviluppare le mie capacità di presentazione, marketing, leadership e gestione della scuola. Doris è in grado di risvegliare l'entusiasmo delle persone per l'apprendimento perché è autentica e naturale nel lavoro. È per questo che l'ho contattata per collaborare alla realizzazione di corsi di formazione funzionale per insegnanti, formatori e dirigenti di scuole di lingua nell'ambito della strategia Learn&Lead. Le prime risposte dei partecipanti sono state molto positive, quindi sono contenta che abbiamo scelto la direzione giusta. Credo che insieme riusciremo ad andare avanti nell'unità e nella concordia necessarie per costruire un sistema di crescita e sviluppo sostenibile dell'apprendimento delle lingue nella nostra società.

Qual è il suo rapporto con Jana Chynoradska e con l'Accademia Harmony? Come lo descriverebbe?

Jana e io ci conosciamo da circa 5 anni. Ci siamo incontrate all'Oxford Principals' Forum, un simposio accademico e commerciale organizzato da Instill Education, la società per cui lavoro. Sono stata immediatamente attratta dall'entusiasmo manifesto e contagioso di Jana per l'istruzione. Abbiamo legato per diversi motivi, non ultimo la passione comune per l'insegnamento, l'apprendimento e il miglioramento continuo di sé e degli altri. All'inizio il nostro rapporto era di tipo commerciale: io come preside di una scuola e Jana come partner rappresentante che promuove Regent Oxford a potenziali nuovi studenti in Slovacchia. Dopo qualche tempo, abbiamo iniziato a collaborare ad altri progetti volti a migliorare le capacità di gestione, leadership e comunicazione. I risultati che danno e le ricompense che offrono in termini di sviluppo, mio e degli altri, sono sempre maggiori!

Questo libro si intitola "Scelgo perché è la mia vita". Quale scelta è stata finora la più difficile nella sua vita? Perché?

Non descriverei nessuna delle mie scelte di vita come difficile; per me non è la parola che descrive accuratamente ciò che provo. Coraggiose o impegnative sarebbero parole più appropriate, perché una volta presa una decisione o una scelta, so che mi atterrò ad essa e che porterò a termine ciò che mi sono prefissata e che ci riuscirò - è il viaggio alla scoperta di come esattamente lo farò che mi permette di affrontare con successo la sfida. Quindi, le scelte più "coraggiose" di cui vado fiera nella mia vita sono la scelta di vivere la mia vita in un altro Paese e di realizzarla con lo stesso successo con cui l'avrei vissuta nel mio Paese natale, senza scendere a compromessi nella mia vita personale o professionale. Anche assumere un ruolo dirigenziale in una scuola di lingue quando ero ancora molto giovane, inesperta e non madrelingua è stata una scelta coraggiosa. Comprende anche la mia scelta di avere un solo figlio - una scelta che ho fatto consapevolmente (qualcuno potrebbe dire egoisticamente e probabilmente avrebbe anche ragione!) per potermi concentrare su ciò che mi fa sentire realizzata nella mia vita: la mia carriera. Trovo che questa sia la scelta per cui io, come donna, vengo spesso criticata o almeno fraintesa. Credo che anche al giorno d'oggi ci sia un forte stigma legato al fatto che le donne scelgano la carriera piuttosto che la famiglia, cosa che, a livello sociale, è ancora percepita come una prerogativa dell'uomo.

Il libro è il seguito di "I CAN because it's My Life", che si rivolgeva a insegnanti e formatori, concentrandosi sulla libertà che hanno nelle classi. Come ha risuonato questo messaggio nella sua vita professionale?

Metto sempre l'innovazione e la creatività al primo posto in tutto ciò che faccio. Per me questo significa circondarmi delle persone giuste per fare *bene il* lavoro. Credo che conoscere la direzione che si vuole prendere, il proprio piano, il tipo di cultura organizzativa che si vuole creare intorno a sé sia fondamentale e che per ottenerlo sia fondamentale scegliere le persone giuste.

"I CHOOSE because It's My Life" (Scelgo perché è la mia vita) dà un chiaro segnale a tutti che è lui/lei a decidere della propria vita. Incoraggia una persona a rendersi conto del proprio potere e la invita a prendere una decisione per una vita migliore e di maggior valore. Quale messaggio invierebbe ai lettori in questo

contesto?

Sento che la mia scuola è "la mia vita", quindi dare ai miei collaboratori la libertà creativa di cui hanno bisogno per essere orgogliosi del loro lavoro. E alla fine essere un membro più efficace del team è una scelta che vale la pena fare, anche se, come dice il proverbio, "è semplice, ma non è facile"! 'È semplice, ma non è facile'! Non basta fare una scelta, bisogna farla con convinzione e poi realizzarla. Anche se si sceglie di non scegliere e di lasciare che sia qualcun altro a decidere, bisogna farlo con convinzione.

Nella sua versione semplificata, *Learn&Lead* potrebbe essere definito come apprendimento e sviluppo permanente. Che ruolo ha l'apprendimento permanente nella vostra vita?

Se il vostro lavoro è l'istruzione, non potete mai smettere di imparare, altrimenti chiederete agli altri di fare qualcosa che non siete preparati a fare da soli.

Cosa avete dovuto subire prima di capire che la vostra vita è nelle vostre mani? Quali sono stati i fallimenti o le vittorie più decisivi nella vostra vita?

Come dice Roberto Benigni: "Ringrazio i miei genitori per il dono della povertà". Provengo da una famiglia numerosa e di mezzi modesti; il valore di una buona istruzione e la spinta ad essere il migliore possibile in qualsiasi cosa mi prefiggo di raggiungere mi sono stati inculcati fin da piccolo. Benjamin Franklin ha anche detto: "Non è importante da dove vieni, ma cosa ne fai" e io ci credo fermamente. Questo vale anche per i miei studenti che stanno imparando l'inglese. Come buon consiglio, spesso do loro: "Non è importante quanto inglese hai, ma quello che riesci a fare con esso".

Chi è al vostro fianco quando dovete fare una scelta? Perché questa persona è importante nella vostra vita?

In definitiva, non potete contare su nessuno che vi tenga la mano; dovete essere pronti a fare scelte che sapete essere giuste, indipendentemente da ciò che gli altri possono pensare. Sono molto fortunata perché ho una famiglia che mi sostiene, un manager incoraggiante e un co-manager ispiratore con cui gestisco la scuola insieme. Lui condivide la mia visione della scuola, ma è anche pronto a essere il mio amico critico per eccellenza quando ne ho bisogno; è il dono più grande, perché mi fa capire quando e dove devo ancora migliorare - come persona, manager, educatore e leader - e mi fa venire voglia di lavorare per arrivarci!

Avete un rituale, un segno/indicazione o altri aiutanti che vi guidano nel processo di scelta?

Per quanto possa essere difficile, cerco di seguire sempre il mio istinto o quello di coloro che mi circondano e di cui mi fido. Di solito la prima decisione che prendo è la migliore e confondere le acque con l'esitazione può fare la differenza tra brillantezza e mediocrità. La mia massima di vita è "*non* potrò *mai* morire", cosa di cui mi sono resa conto di getto quando mio figlio aveva tre giorni di vita e la portata della responsabilità di genitore mi ha colpito con forza. Tuttavia, credo che sia vero, non in termini di *possibilità* e *capacità*. Per me significa "sono forte": non è possibile sconfiggermi e non sono in grado di farlo. Questa convinzione mi dà molta spinta interna e l'"energia" che molti mi attribuiscono.

Lei è stato invitato a questo libro come una delle persone chiave che hanno contribuito a costruire il nuovo concetto di formazione per adulti *Learn&Lead*. Come descriverebbe il percorso di apprendimento che ha dovuto affrontare durante lo sviluppo di questo concetto?

Credo che la cosa più importante che ho imparato sia la pazienza. La sto ancora imparando... È indispensabile sottomettersi al processo, essere aperti, adattarsi e credere con tutto il cuore nella sua efficacia - e confidare nella propria capacità di emergere come un essere umano più sicuro e dinamico all'altra estremità della sfida.

Che cosa significa oggi per lei Learn&Lead?

Si tratta di un sacco di sfide e di "impossibili" che Jana mi ha posto - la mia prima reazione è sempre quella di dubitare di me stessa - "posso fare quello che mi chiede?". A questo segue rapidamente la scelta di accettare la sfida e iniziare a capire come riuscirci. Significa anche imparare: rendermi conto di ciò che so e che posso condividere con gli altri per migliorarli, personalmente e professionalmente, e rendermi conto di ciò che ancora non so, di ciò che posso ancora migliorare e farlo!

Cosa augura a Learn&Lead per il futuro?

Per continuare ad andare avanti di forza in forza e per continuare ad aggiungere valore alla vita degli altri come già fa.

11. DANIEL BACIK

Daniel Bacik si è laureato presso l'Università Matej Bel di Banska Bystrica, Facoltà di Lettere e Filosofia, indirizzo: Lingua e letteratura inglese - Storia; successivamente ha difeso il suo dottorato a "viva voce" in Metodologia dell'insegnamento dell'inglese (titolo conseguito: PaedDr.). Fin dall'inizio degli studi universitari ha lavorato come insegnante di inglese in diverse scuole di Banska Bystrica. Dopo la laurea, ha lavorato come insegnante, project manager e vicepreside presso il ginnasio di M. Kovac a Banska Bystrica. Nel 2006 ha fondato il ginnasio privato Orbis Eruditionis a Banska Bystrica. Dal 2008 è direttore della scuola di lingue PLUS Academia di Bratislava. La sua vita professionale è strettamente legata ai fondi UE e ai progetti da essi finanziati. Tra questi, i progetti Comenius 1 realizzati con il ginnasio e la cooperazione tra i fondi per i rimpatri e le frontiere esterne e PLUS Academia. Ha un'autorità naturale ed è una forza trainante per tutti gli sforzi di PLUS Academia. Ha grandi capacità manageriali che hanno permesso a PLUS Academia di diventare una delle scuole di lingua più grandi e di qualità del mercato slovacco.

Da quando ho avanzato la proposta di creare un sistema alternativo comune di formazione continua degli insegnanti e dei formatori di lingue straniere nelle nostre scuole di lingua presso l'Associazione delle scuole di lingua della Repubblica Slovacca (AJS SR), Dano è stato la persona che mi ha sostenuto. Ancora oggi lo vedo alzare la mano come il primo a unirsi al mio piccolo team creato nel momento in cui l'idea di PROLANTCAP ha iniziato a basarsi sui pilastri del modello Learn&Lead. Era l'autunno del 2014. In questi anni ho avuto modo di conoscere Dano come una persona molto disciplinata, propositiva e appassionata di miglioramento della qualità dell'apprendimento delle lingue. Ho già capito perché oggi la sua scuola ha così tanto successo. Dano sa che deve rafforzare e sviluppare ulteriormente le capacità dei suoi formatori per avere successo in futuro. Vorrei che rimanessimo in contatto grazie al nostro comune desiderio di lasciare un messaggio a chiunque voglia seriamente offrire un apprendimento linguistico di alta qualità nel nostro

Paese e in tutta Europa.

Qual è il suo rapporto con Jana Chynoradska e con l'Accademia Harmony? Come lo descriverebbe?

Conosco Janka dai tempi in cui lavorava all'università di Trnava. L'ho sempre vista come una specialista dell'insegnamento della lingua inglese. Professionalmente le nostre strade si sono incrociate solo quando Harmony è entrata a far parte dell'Associazione delle scuole di lingua della Repubblica Slovacca. I nostri obiettivi e le nostre visioni comuni ci hanno fatto incontrare e abbiamo iniziato una collaborazione più stretta nel progetto PROLANT CAP. Il nostro rapporto si è gradualmente trasformato da professionale in amichevole. Percepisco Harmony allo stesso modo, perché Jana = Harmony, Harmony = Jana. ©

Questo libro si intitola "Scelgo perché è la mia vita". Quale scelta è stata finora la più difficile nella sua vita? Perché?

Mi dispiace ma non posso rispondere a questa domanda. Non mi sento a mio agio nel condividere la mia vita privata con il pubblico. © Le scelte più difficili sono sempre legate alla vita privata.

Il libro è il seguito di "I CAN because it's My Life", che si rivolgeva a insegnanti e formatori, concentrandosi sulla libertà che hanno nelle classi. Come ha risuonato questo messaggio nella sua vita professionale?

Non so come rispondere a questa domanda. Ho appena sentito/letto questo messaggio per la prima volta.

"I CHOOSE because It's My Life" (Scelgo perché è la mia vita) dà un chiaro segnale a tutti che è lui/lei a decidere della propria vita. Incoraggia una persona a rendersi conto del proprio potere e la invita a prendere una decisione per una vita migliore e di maggior valore. Quale messaggio invierebbe ai lettori in questo contesto?

Sono d'accordo con questa affermazione. Forse aggiungerei un'altra cosa, e cioè che abbiamo una sola possibilità, e quindi è necessario rendersi conto di come cogliere questa possibilità (possibilità = vita).

Nella sua versione semplificata, *Learn&Lead* potrebbe essere definito come apprendimento e sviluppo permanente. Che ruolo ha l'apprendimento permanente nella vostra vita?

È parte integrante della mia vita. Ogni giorno imparo qualcosa di nuovo. Che sia mirato o casuale. L'istruzione/conoscenza è qualcosa che nessuno può portarti via.

Cosa avete dovuto subire prima di capire che la vostra vita è nelle vostre mani? Quali sono stati i fallimenti o le vittorie più decisivi nella vostra vita?

Credo di essermi resa conto di questo fatto già durante l'infanzia. La famiglia, la scuola, gli amici e tutto ciò che mi circondava avevano un impatto su ciò che sono. Ma sono sempre stato consapevole di essere l'unico a poter influenzare la mia vita.

Onestamente, considero tutta la mia vita come un'unica grande vittoria (e finora lo penso davvero). Ci sono state difficoltà, ma non radicali.

Chi è al vostro fianco quando dovete fare una scelta? Perché questa persona è importante nella vostra vita?

Nella vita privata: mia moglie, mia figlia e la mia famiglia. Nella vita professionale: i miei colleghi, perché come io sono qui per loro, così loro sono qui per me. Possiamo contare gli uni sugli altri.

Avete un rituale, un segno/indicazione o altri aiutanti che vi guidano nel processo di scelta?

No.

Lei è stato invitato a questo libro come una delle persone chiave che hanno contribuito a costruire il nuovo concetto di formazione per adulti *Learn&Lead*. Come descriverebbe il percorso di apprendimento che ha dovuto affrontare durante lo sviluppo di questo concetto?

Come ho già detto, ogni giorno imparo qualcosa di nuovo. Ogni giorno è dedicato a un concetto condiviso che conferma che ho deciso bene. Sapere che nella vita fai cose che ti piacciono e che fanno parte del tuo lavoro è bellissimo. Ne sono grato.

Che cosa significa oggi per lei Learn&Lead?

Una chiara indicazione di ciò che è necessario fare nel campo dell'educazione (non solo linguistica) in Slovacchia e in tutta Europa. Inoltre, è uno strumento per questo cambiamento.

Cosa augura a Learn&Lead per il futuro?

Molte persone giuste! Si tratta sempre di persone.

12. ZUZANA SILNA

Zuzana Silna ha conseguito un master in commercio internazionale e un dottorato di ricerca in economia mondiale. Per sette anni è stata docente di commercio internazionale e integrazione europea presso la Facoltà di Commercio dell'Università di Economia di Bratislava. Attualmente si occupa di politica commerciale estera presso il Ministero dell'Economia della Repubblica Slovacca e, durante la presidenza slovacca, ha presieduto un gruppo di lavoro del Consiglio dell'Unione Europea. Le lingue straniere sono la sua passione. Parla inglese e tedesco. Attualmente sta imparando il croato, l'italiano e il francese.

Dal 2001 a oggi Zuzka è uno dei clienti della nostra scuola. La nostra storia comune mostra chiaramente come Harmony Academy sia riuscita a crescere e a soddisfare le esigenze dei suoi clienti "in crescita" negli ultimi anni. Zuzka è venuta da noi quando aveva bisogno di migliorare il suo inglese per scopi accademici. In seguito è stata una delle prime clienti a interessarsi ai programmi professionali che trattano i temi della "leadership di gruppo" e dello "sviluppo personale" e ora è ufficialmente la prima studentessa Learn&Lead, ovvero la studentessa del programma "Learn&Lead Individual". Zuzka ha il fascino di una personalità saggia, illuminata, intelligente, umile e forte nelle sue convinzioni. Personalmente, mi fa piacere che durante le nostre sessioni si apra a questioni che risuonano dentro di lei da molto tempo e che erano protette in un'area sicura del suo mondo interiore. Tuttavia, come nella vita di ognuno di noi, anche lei è arrivata al punto della sua vita in cui è necessario fare un passo avanti e raccogliere quelle fonti interiori che ci aiuteranno ad affrontare ogni possibile ostacolo in questo nuovo viaggio della vita. Zuzka si trova di fronte a un futuro in cui sarà in grado di influenzare l'impostazione del suo ambiente di lavoro. Vorrei che continuasse a seguire il suo cuore saggio. Esso la indirizzerà verso quelle persone, opportunità e situazioni che fanno parte della sua vita e che la condurranno al raggiungimento della gioia e della felicità.

Qual è il suo rapporto con Jana Chynoradska e con l'Accademia Harmony? Come lo descriverebbe?

Conosco Harmony fin dal suo inizio. Ho frequentato la scuola estiva organizzata dopo il primo anno di attività. Harmony è la scuola di lingue di cui mi fido. Che avessi bisogno di migliorare il mio inglese o di prepararmi al ruolo di presidente di un gruppo di lavoro, in Harmony ho sempre trovato quello che cercavo. Ho incontrato l'insegnante Christian Scott che mi ha aiutato a prepararmi per la presidenza non solo in termini di lingua, ma anche di fiducia in me stesso.

Per me Janka non è solo un'insegnante eccezionale, ma anche un eccellente divano. Le sono grata per aver condiviso con me la sua esperienza acquisita negli anni di gestione di Harmony e delle sue persone nell'ambito del programma Learn&Lead.

Harmony è uno spazio sicuro dove posso crescere sia professionalmente che personalmente.

Questo libro si intitola "Scelgo perché è la mia vita". Quale scelta è stata finora la più difficile nella sua vita? Perché?

Ho avuto la fortuna di non dover prendere decisioni davvero cruciali. Tuttavia, è stato piuttosto difficile per me lasciare l'università. Mi piaceva lavorare come insegnante universitario. Tuttavia, sentivo che nell'università non c'era più spazio per un'ulteriore crescita.

Il libro è il seguito di "I CAN because it's My Life", che si rivolgeva a insegnanti e formatori, concentrandosi sulla libertà che hanno nelle classi. Come ha risuonato questo messaggio nella sua vita professionale?

Confesso di non aver letto il libro "Posso perché è la mia vita" (ancora). Tuttavia, Janka mi ha fatto conoscere un testo che sembra provenire da Charlie Chaplin. Dice: "Quando ho cominciato ad amare me stesso ho capito che in ogni circostanza sono nel posto giusto al momento giusto, e tutto accade esattamente al momento giusto. Così, ho potuto essere tranquillo. Oggi la chiamo AUTOCONFIDENZA". Lo riformulerei in questo modo: "Posso perché è la mia vita, perché in ogni circostanza sono nel posto giusto al momento giusto e tutto accade esattamente al momento giusto. Quindi, posso essere tranquillo".

"I CHOOSE because It's My Life" (Scelgo perché è la mia vita) dà un chiaro segnale a tutti che è lui/lei a decidere della propria vita. Incoraggia una persona a rendersi conto del proprio potere e la invita a prendere una decisione per una vita migliore e di maggior valore. Quale messaggio invierebbe ai lettori in questo contesto?

Seguire lo slogan "Scelgo perché è la mia vita" porta una grande sensazione di libertà: libertà dalla paura, dalle opinioni e dalle aspettative della società. D'altra parte, non è un percorso facile. La nostra società non è ancora pronta per persone creative, indipendenti, proattive e libere. Potreste incontrare opposizione e incomprensione. Ma la sensazione di libertà e la pace interiore ne valgono la pena.

Nella sua versione semplificata, *Learn&Lead* potrebbe essere definito come apprendimento e sviluppo permanente. Che ruolo ha l'apprendimento permanente nella vostra vita?

L'apprendimento è molto importante nella mia vita. Credo che una persona debba fare del suo meglio per diventare la versione migliore di se stessa. E non significa solo diventare un esperto o imparare più lingue, ma soprattutto diventare una persona migliore: imparare a conoscere se stessi, imparare ad amare se stessi e gli altri.

Cosa avete dovuto subire prima di capire che la vostra vita è nelle vostre mani? Quali sono stati i fallimenti o le vittorie più decisivi nella vostra vita?

Nel mio caso si tratterebbe di un'esperienza relativamente nuova. La Presidenza slovacca del Consiglio dell'UE è stata la sfida più grande che abbia mai affrontato. Ho preso molto sul serio la preparazione, così ho conosciuto Christian e successivamente ho iniziato a lavorare con Janka nell'ambito del programma Learn&Lead. In qualità di presidente di un gruppo di lavoro, ero in ultima analisi responsabile del raggiungimento dei risultati del mio gruppo di lavoro. Temevo di non essere abbastanza bravo per questo ruolo. Alla fine, abbiamo ottenuto risultati come nessun'altra presidenza da molto tempo. Questa esperienza mi ha aiutato a capire che sono in grado di fare grandi cose e non devo avere paura.

Chi è al vostro fianco quando dovete fare una scelta? Perché questa persona è importante nella vostra vita?

Si tratta, ovviamente, della mia famiglia in primo luogo. Tuttavia, ci sono spesso situazioni in cui preferisco parlare con due amici intimi. Affrontiamo problemi simili, cerchiamo risposte a domande simili. E a volte possono essere persone che non conosco molto bene. Basta ascoltare, affrontare la giornata con occhi e orecchie aperti e i buoni consigli arriveranno.

Avete un rituale, un segno/indicazione o altri aiutanti che vi guidano nel processo di scelta?

Mi sono reso conto che spesso sono sopraffatto dai sentimenti quando prendo decisioni importanti. Per questo motivo, mi sforzo di non prendere decisioni su due piedi. Mi prendo il tempo necessario per far maturare la decisione. Non faccio mai un elenco di pro e contro. Prendo decisioni razionali. Allo stesso tempo, ascolto il mio cuore. Scelgo una soluzione che posso interiorizzare.

Lei è stato invitato a questo libro come una delle persone chiave che hanno contribuito a costruire il nuovo concetto di formazione per adulti *Learn&Lead*. Come descriverebbe il percorso di apprendimento che ha dovuto affrontare durante lo sviluppo di questo concetto?

Credo di essere il primo studente di Learn&Lead. Non so se ho contribuito in qualche modo allo sviluppo del programma Learn&Lead. In ogni caso, ho intrapreso un percorso in cui ho imparato ad accettare me stesso e gli altri. Non li vedo più come ostacoli sulla strada verso un obiettivo. Ma piuttosto come una fonte di ispirazione, di sostegno e di aiuto. Credo che l'accettazione di sé sia il fattore chiave. Una persona che si accetta si libera dalla paura di non essere abbastanza brava per affrontare le varie sfide della vita. Allo stesso tempo, può controllare il proprio ego per risolvere i problemi e guidare le persone in modo costruttivo e comprensivo.

Che cosa significa oggi per lei Learn&Lead?

Durante le lezioni con Janka ho imparato molto, su di me e sulla leadership. La cosa che apprezzo di più è che i nostri incontri sono uno spazio sicuro in cui posso parlare apertamente delle cose pesanti che ho in mente e che riguardano la mia vita professionale e privata.

Cosa augura a Learn&Lead per il futuro?

Vorrei che Harmony fosse conosciuto da molte persone. Sono sicuro che ci sono molti professionisti che vogliono fare le cose in modo diverso, che vogliono creare un ambiente di lavoro interessante, motivante e sicuro per i loro dipendenti o colleghi. Mi auguro che Harmony abbia la possibilità di cambiare la vita di molte altre persone.

13. LA STRUTTURA DI GESTIONE FUNZIONALE DELLA SCUOLA LEARN&LEAD

Questa nuova struttura di gestione è stata sviluppata da Jana Chynoradska e dal suo team presso la HARMONY ACADEMY (una scuola di lingue) insieme ai progetti educativi Learn&Lead cofinanziati dall'Associazione accademica slovacca per la cooperazione internazionale (SAAIC) in Slovacchia tra il 2010 e il 2017.

Il documento fornisce risposte alle seguenti domande:
Come possiamo superare una crisi nella nostra scuola/azienda?
Come possiamo fermare il calo di rendimento della nostra scuola/azienda?
Come possiamo migliorare la qualità e aumentare le prestazioni allo stesso tempo?
Come possiamo convincere i nostri clienti che valiamo di più?
Dove possiamo trovare fondi per la formazione professionale del nostro personale?
Come possiamo sostenere la nostra scuola di lingue in un mondo in rapida crescita e in continuo cambiamento?

Il discorso di benvenuto di Jana
Sono felice di darvi il benvenuto nel mondo LEARN&LEAD, dove tutto è possibile. Non importa quanto possa sembrare difficile all'inizio, se per voi ha senso, allora ha senso in quanto tale. Immaginate un mondo in cui potete essere chi siete veramente, in cui potete fare ciò che vi rende davvero felici.

Certo, ci vuole tempo e bisogna superare molti ostacoli sul cammino, ma una volta che si conosce il PERCHE' e si raggiunge la connessione prima con se stessi e poi con gli altri, si crea il COME e di conseguenza si produce il COSA.

Why = The Purpose
What is your cause? What do you believe?

How = The Process
Specific actions taken to realize the Why.

What = The Result
What do you do? The result of Why. Proof.

Simon Sinek, Il cerchio d'oro

Di conseguenza, il vostro viaggio è destinato a essere prezioso, piacevole, utile e infine di successo.

Buona fortuna a tutti noi!
Jana Chynoradska

Contesto:

Che cosa abbiamo dovuto fare? Com'era la situazione nella nostra scuola di lingua?

Fermare la tendenza alla diminuzione del "rendimento" della scuola e trovare una nuova direzione per la scuola al fine di sostenere la sua attività per il futuro.

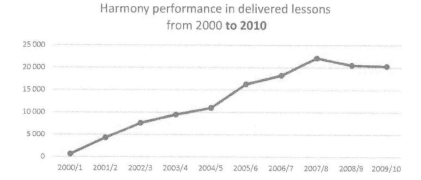

Harmony performance in delivered lessons
from 2000 to 2010

Come siamo riusciti a svilupparlo?

Nell'apprendimento di partenariati con scuole di lingua e organizzazioni di formazione provenienti dai Paesi dell'Unione Europea. Abbiamo ottenuto il sostegno dei programmi Grundtvig ed Erasmus e delle agenzie nazionali di questi Paesi. Nel 2010 abbiamo avviato il primo progetto Learn&Lead con i seguenti obiettivi:

- identificare i nostri bisogni e i nostri leader;
- sviluppare nuovi programmi di formazione e un nuovo modello di organizzazione per l'apprendimento e l'insegnamento.

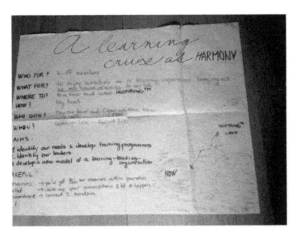

Un disegno che ho realizzato nel luglio 2010 durante il corso di formazione "Leadership per insegnanti" condotto da Adrian Underhill a Pilgrims, Canterbury, Regno Unito.

PERCHÉ ci siamo sottoposti a questo processo?

Perché la mia responsabilità come Direttore Principale era quella di *trovare un futuro per la mia scuola/ i miei insegnanti/formatori*. Questo è ciò che mi hanno "detto" durante la formazione guidata da un altro formatore di Pilgrims, Kevin Batchelor, nell'agosto 2010, quando siamo partiti tutti per l'avventuroso viaggio.

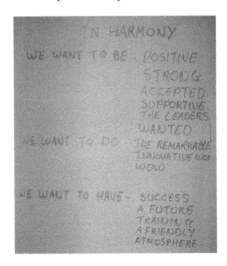

Un poster elaborato dagli istruttori Harmony durante il corso di formazione sui pellegrini condotto da Kevin Batchelor ad Harmony in Slovacchia nell'agosto 2010.

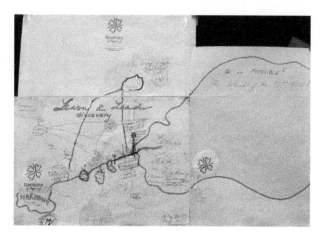

Questa immagine è la descrizione del viaggio che abbiamo intrapreso nel luglio 2010. Ho disegnato questa immagine nel maggio 2015 e ho realizzato la "posizione attuale" di dove eravamo in quel momento.

<u>Descrizione della struttura funzionale di gestione scolastica Learn&Lead (LaL SMS)</u>

La struttura funzionale di gestione scolastica Learn&Lead (LaL SMS) si adatta perfettamente al quadro di sviluppo PROLANTCAP e ne facilita l'attuazione. Questa struttura si basa sul percorso di carriera dei formatori Learn&Lead, che non solo offre agli insegnanti e ai formatori una carriera di formazione professionale, ma li invita anche a diventare parte della gestione della scuola.

Legend:
- learning
- learning while training
- training
- networking
- managing

Programme offer	Pricing level	Course management	Division of activities per month in %				
Leadership & Management Development	Level 3	Trainer	10	30	30	20	10
		Leader	10	30	10	30	20
		Developer	10	30	20	40	
Language & Communication Development	Level 1	Trainer	10	10	70		10
		Leader	10	10	40	20	20
		Developer	10	10	20	20	40
Sector Specialization Development	Level 2	Trainer	10	20	40	20	10
		Leader	10	20	30	20	20
		Developer	10	20	10	20	40

Il percorso di carriera dei formatori Learn&Lead

Quando una scuola di lingue cresce e si sviluppa, crescono anche i suoi formatori. Naturalmente, scegliamo uno di loro per diventare il nostro Direttore degli Studi, che gestisce contemporaneamente i corsi e i formatori. Spesso questi direttori di studio perdono il tempo dell'insegnamento/formazione e si ritrovano "intrappolati" nell'amministrazione e nell'organizzazione della scuola. Spesso decidono di lasciare l'incarico e di tornare a insegnare, credendo di aver fallito.

Se applicate l'SMS LaL alla vostra scuola fin dall'inizio e/o in qualsiasi momento della vostra vita scolastica, aprite nuove posizioni lavorative e distribuite l'amministrazione e la responsabilità insieme alla libertà gestita tra tutto il personale. La posizione DoS corrispondente nel LaL SMS è quella del Leader (un formatore accademico) che forma/insegna per il 40% del tempo (in una settimana), fa rete (tramite eventi sociali, social media, mentoring/coaching di colleghi più giovani) per il 20% e gestisce l'aspetto accademico dei corsi delegati (monitoraggio della qualità attraverso l'osservazione delle classi, rapporti dall'aula, mentori e/o coach, colleghi-formatori che insegnano/formano nei loro corsi delegati).

Come risultato di questa varietà di lavoro che richiede l'integrazione di altre competenze, un Leader si distingue dai formatori e inizia a specializzarsi nella 1.

formazione degli insegnanti,
2. automobilistico, 3. sviluppo del turismo e così via.

Il LaL SMS aiuta la vostra scuola a "far crescere" i propri leader che aiutano la vostra scuola a stabilire il 2° livello di servizi che offrite ai clienti come valore aggiunto. Questo è strettamente legato alla loro "seconda qualifica", che va di pari passo con l'esperienza acquisita nel settore scelto e con la partecipazione a programmi di formazione specificamente scelti e strutturati.

Il vantaggio principale del LaL SMS è che ai formatori (insegnanti) viene offerta una carriera che può essere sviluppata dal livello 1 (replicante competente) al livello 2 (operatore consapevole) - formatore PROLANTCAP, fino al livello 3 (facilitatore esperto).

Invita inoltre i formatori a crescere in termini manageriali, cioè a diventare allo stesso tempo Leader (DoS) e Sviluppatori (manager creativi).

Questa struttura flessibile crea molte interconnessioni tra il personale e apre le menti dei formatori a pensare come una squadra piuttosto che come un individuo che svolge il proprio lavoro in classe.

La prima scuola che utilizza il LaL SMS svolge circa 1.100 lezioni (45 minuti) al mese e impiega 30 formatori, 7 leader e 2 manager per questa mole di lavoro. Ognuno lavora in base alle proprie scelte in termini di volume di lavoro. I leader e gli sviluppatori vengono pagati in base alle prestazioni registrate nella combinazione di formazione e gestione, mentre i formatori vengono pagati solo per le prestazioni di formazione. L'apprendimento e la creazione di reti costituiscono una parte naturale del loro lavoro per la scuola e una combinazione di lavoro a progetto retribuito e/o di volontariato (sviluppo di social media, festa di Natale, ecc.).

Sintesi:

Learn & Lead è stata fondata nel 2010 da Jana Chynoradska, fondatrice e personalità di spicco di Harmony Academy in Slovacchia. Qui potete vedere **il viaggio alla scoperta di Learn&Lead.** Si torna indietro al 2010, quando Jana Chynoradska e il suo team di insegnanti entusiasti della scuola di lingue Harmony Academy partirono per un viaggio verso "La terra degli insegnanti-manager ispiratori". Oggi è conosciuto come "The Learn&Lead Discovery" e potete saperne di più su www.learnandlead.eu.

Learn and Lead fornisce alle scuole gli strumenti e il know-how per consentire a tutto il personale - formatori e dirigenti - di dare il meglio di sé, di svilupparsi costantemente e di abbracciare la trasformazione.

La missione di Learn and Lead è creare ambienti di apprendimento stimolanti migliorando le prestazioni di individui e organizzazioni, in particolare nelle aree dello sviluppo strategico, della gestione organizzativa, della leadership e della qualità dell'offerta formativa, dell'internazionalizzazione, dell'uguaglianza e dell'inclusione.

Questa è l'immagine che mostra il viaggio degli Harmony alla scoperta del potenziale di Learn&Lead. Man mano che procedevano, venivano collegati ad altre scuole di lingua e organizzazioni partner e ogni passo avanti veniva monitorato da SAAIC. Oggi la strategia Learn&Lead e i suoi prodotti costituiscono la base del PROLANTCAP Trainer Development Framework.

- Progettiamo e forniamo programmi per formatori, insegnanti e manager in collaborazione con l'Associazione Slovacca delle Scuole di Lingue e altri partner esperti dall'estero. Oggi **Learn&Lead rappresenta una struttura di gestione scolastica funzionale** e invita le scuole di lingua a connettersi per crescere e svilupparsi per offrire servizi di formazione linguistica migliori e di maggior valore in tutta Europa;
- **Sviluppiamo** e implementiamo innovazioni nella formazione linguistica in collaborazione con l'Associazione slovacca delle scuole di lingua e altri partner esperti dall'estero;
- **Cerchiamo** talenti nelle file di insegnanti, formatori, manager e altri membri del pubblico e sviluppiamo il loro potenziale per migliorare l'istruzione in Slovacchia e all'estero;

- **Stiamo cambiando** la struttura tradizionale del moderno sistema educativo nella convinzione che una crescita dinamica e sana e lo sviluppo di qualsiasi organizzazione possano essere raggiunti solo attraverso un apprendimento costante e reciproco;
- **Realizziamo** progetti per lo sviluppo personale e professionale di insegnanti, formatori e manager moderni;

- **Portiamo le** ultime informazioni sugli sviluppi e le tendenze emergenti nell'apprendimento delle lingue (e non solo) per trovare le opportunità più efficaci di crescita personale e professionale;
- **Offriamo** workshop, conferenze e forum aperti, coaching individuale e di gruppo, programmi accreditati di formazione continua e consulenze specializzate, legate a progetti, finanziarie e aziendali.

Condividiamo la nostra passione, le conoscenze acquisite, l'esperienza pratica e i risultati del lavoro creativo con i partner, i professionisti e il pubblico.

Qui potete trovare le nostre risposte alle domande a cui avevamo bisogno di trovare una risposta:

Come possiamo superare una crisi nella nostra scuola/azienda?

Accettate le crisi come un'opportunità per imparare e diventare più professionali, originali. Rivedete ogni angolo della vostra azienda e parlate con tutte le persone che sceglierete come parte del futuro della vostra azienda. Assicuratevi di portare una visione che sia condivisa dai vostri collaboratori, possibilmente createla insieme a loro e lasciate che si assumano la responsabilità delle loro decisioni. Siate pronti a rischiare e imparate a delegare correttamente i compiti (persone, tempo, denaro).

Come possiamo fermare il calo di rendimento della nostra scuola/azienda?

Sviluppando nuovi programmi e cambiando la struttura di gestione che è completamente interconnessa con il percorso di carriera dei formatori.

Come possiamo migliorare la qualità e aumentare le prestazioni allo stesso tempo?

Introducendo le posizioni di Leader e Sviluppatori (Manager creativi) nella struttura di gestione del corso.

Come possiamo convincere i nostri clienti che valiamo di più?

Fate in modo che il marketing faccia parte della vostra routine quotidiana al lavoro. Comunicate con i vostri clienti e ascoltate le loro esigenze. Assicuratevi di rendere pubbliche le loro testimonianze, che costituiscono la migliore pubblicità in assoluto. Siate pazienti e fate quello che dite.

Dove possiamo trovare fondi per la formazione professionale del nostro personale?

Sono disponibili fondi pubblici (ERASMUS+, fondo Vysehradsky, ecc.) e fondi privati. Nel LaL SMS abbiamo una chiara politica di finanziamento individuale basata su una lezione insegnata (45 minuti). Ogni formatore crea il proprio finanziamento per l'aggiornamento professionale fornendo il numero di lezioni richiesto nel volume e nella qualità desiderati.

Come possiamo sostenere la nostra scuola di lingue in un mondo in rapida crescita e in continuo cambiamento?

Da

- diventare un'organizzazione di insegnamento-apprendimento,
- sostenere la filosofia dell'apprendimento permanente,
- prendersi cura del suo popolo,
- soddisfare le loro esigenze che sono interconnesse con quelle della vostra organizzazione.

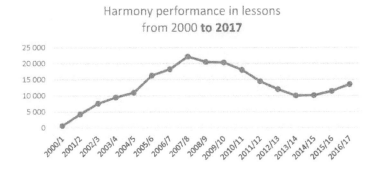

Harmony performance in lessons
from 2000 **to 2017**

PANORAMICA DEI PROGETTI LEARN&LEAD

Progetto INTRODUTTIVO

Titolo del progetto: Piano innovativo per lo sviluppo dei dipendenti 2009 - 2010

Numero del progetto: **27110230081**

Finanziato da: Ministero del Lavoro, degli Affari sociali e della Famiglia della Repubblica Slovacca

Partner del progetto: The Language School Company Limited che opera con il nome di Pilgrims, Regno Unito.

Coordinatore: HARMONY ACADEMY s.r.o., Slovacchia

Risultati del progetto: 22 insegnanti e formatori formati, 2 manager formati e altro personale Definizione di una strategia per lo sviluppo di formatori, manager e altro personale (la base per i progetti Learn&Lead)

PROGETTO n. 1

Titolo del progetto: Imparare e guidare 2010 - 2012

Numero del progetto: **104110496**

Finanziato da: Associazione accademica slovacca per la cooperazione internazionale (SAAIC)

Programma: Grundtvig

Partner del progetto: The Language School Company Limited che opera come Pilgrims, Regno Unito, Globe Language Solutions, Francia.

Coordinatore: HARMONY ACADEMY s.r.o., Slovacchia

Partner del progetto: Pellegrini/ Regno Unito, GLS/Francia

Risultati del progetto:	Creazione di tre centri di innovazione per insegnanti, formatori e manager nelle organizzazioni dei partner del progetto.

Creazione di moduli innovativi per insegnanti, formatori e dirigenti scolastici: Creatività nella leadership; Approccio centrato sullo studente; Intelligenze multiple; Applicazione del CLIL nell'insegnamento e nella formazione delle lingue straniere; Affrontare il cambiamento; Tecniche di improvvisazione linguistica; Insegnanti come leader.

PROGETTO n. 2

Titolo del progetto: Imparare e guidare per i genitori, 2013-2015

Numero del progetto: **134110865**

Finanziato da:
Associazione accademica slovacca per la cooperazione internazionale (SAAIC) Grundtvig

Programma: Grundtvig

Partner del progetto:

Centre des Nouvelles Techniques de Communication, Pau, Francia, Republikove centrum vzdelavani, s.r.o., Praga, Repubblica Ceca

Coordinatore: HARMONY ACADEMY s.r.o., Slovacchia

Risultati del progetto: Creazione di un corso europeo innovativo per genitori "Parent as a leader". Si tratta di tre corsi independenti che fanno parte del portafoglio di programmi Learn&Lead: Conoscere me, conoscere mio figlio; Dare forma alla nostra vita; Vivere la famiglia

PROGETTO n. 3

Titolo del progetto: Be Lifelong Learning (Be lll) 2014-2016

Numero del progetto: **2014-1-SK01-KA104-000115**

Finanziato da:	Associazione accademica slovacca per la cooperazione internazionale (SAAIC)
Programma:	Erasmus+, KA1
Partner del progetto:	The Language School Company Limited che opera come Pilgrims, Regno Unito, Anglolang Academy of English, Regno Unito, Regent Oxford, Regno Unito.
Coordinatore:	HARMONY ACADEMY s.r.o., Slovacchia
Risultati del progetto:	16 formatori e manager professionisti ELT, Il percorso di carriera Learn&Lead di un formatore

PROGETTO n. 4
Titolo del progetto: Sviluppo della struttura di gestione funzionale della scuola, 2014-2016

Finanziato da:	HARMONY ACADEMY s.r.o.
Partner del progetto:	Pilgrims/UK, Regent Oxford/UK, Anglolang Academy/UK
Coordinatore:	HARMONY ACADEMY s.r.o., Slovacchia
Risultati del progetto:	La struttura di gestione funzionale della scuola Learn&Lead

PROGETTO n. 5
Titolo del progetto:

Imparare, formarsi e lavorare per migliorare le prospettive e i risultati. Occupabilità, 2015-2017

Acronimo:	TAPPO PROLANTE
Numero del progetto:	**2015-1-SK01-KA202-008883**
Periodo del progetto:	Settembre 2015 - Agosto 2017
Finanziato da:	

Associazione accademica slovacca per la cooperazione internazionale (SAAIC)

Programma: Erasmus+, KA2

Sito web: www.prolantcap.eu

Partner del progetto:

Angolang Academy, **Regno Unito,** am Language Studio, **Malta,** Euroform RFS, **Italia,** Biedriba Eurofortis, **Lettonia,** Centre des Nouvelles Techniques de Communication, **Francia.**

Coordinatore: Associazione delle scuole di lingue in Slovacchia, **Slovacchia**

Risultati del progetto:

Creazione di un percorso di carriera strutturato per i formatori di lingue straniere (il PROLANTCAP Trainer Development Framework) che non lavorano in un ambiente educativo tradizionale; sviluppo di due programmi di formazione linguistica specifici per il settore (uno per lo sviluppo del turismo e uno per l'industria automobilistica) utilizzando la metodologia CLIL.

EPILOGO

Oggi so che bisogna prestare più attenzione alle persone a casa, a scuola, in azienda, in ufficio o per strada. È necessario ascoltare le persone e lasciare che prendano decisioni basate sulle loro convinzioni e opinioni. Queste si formano durante l'infanzia e la maggior parte di esse viene messa alla prova nel corso della vita. Le persone che lavorano devono conoscere meglio l'azienda in cui lavorano, la sua visione, la sua cultura, la sua missione e il suo scopo. Le persone che lavorano hanno bisogno di sentire che i loro manager/dirigenti si preoccupano di loro. Devono sapere e sentire che il loro lavoro è apprezzato e che la loro presenza è palpabile. Hanno bisogno di uno spazio sicuro per la realizzazione di sé, che implica una motivazione intrinseca per le loro prestazioni lavorative. Se si fidano delle persone che li guidano sul lavoro, si lasciano influenzare naturalmente dall'ambiente di lavoro, grazie al quale possono svilupparsi e crescere continuamente, prima a vantaggio di se stessi e poi anche dell'azienda che dà loro lavoro.

Oggi le persone sono naturalmente interessate a ciò che accade intorno a loro e non si lasciano ingannare facilmente. Le persone sanno che la loro vita è nelle loro mani. Sanno che la loro vita è il dono più prezioso che possiedono, quindi vogliono gestirla al meglio delle loro capacità. Sono i creatori delle cose su cui si concentrano e che vengono portate in vita dalle loro decisioni. Se hanno davvero a cuore il dono che hanno ricevuto alla nascita, sono naturalmente affamati di nuove conoscenze, di apprendimento continuo e di far progredire se stessi e le cose che li circondano.

Permettere alle persone di crescere è il compito di ogni manager che oggi guida una classe, una scuola, un'azienda o una qualsiasi comunità di persone.

Permettiamo alle persone di crescere e di essere autentiche. Permettiamo a noi stessi di essere gli autentici portatori di valori che, grazie a noi, costituiscono la base della società in cui viviamo. Permettiamoci di creare e fornire soluzioni originali per il mondo!

Siamo riusciti a risolvere la crisi di Harmony Academy creando l'originale modello di gestione funzionale legato al percorso di sviluppo professionale di un formatore Learn&Lead, che ora è la base del percorso di sviluppo professionale di un formatore PROLANTCAP. Abbiamo potuto superare le barriere insormontabili e costruire le fondamenta dell'impossibile. Abbiamo un motivo per continuare a vivere, lavorare e contribuire allo sviluppo della società di cui facciamo parte. Oggi, in tutta serietà, scelgo *Learn & Lead*. Scelgo perché è la mia vita e la mia decisione apre la strada alla società di cui sono responsabile.

Buona fortuna a tutti noi!
Jana Chynoradska